PRIX RENAUDOT – ESSAI

PRIX LITTÉRAIRE DES LYCÉENS AIEQ

Finaliste — Prix Femina – essai

Finaliste — Prix Hennessy du Livre

Finaliste — Prix littéraire des collégiens

« Cette brillante exofiction sur la nécessité de se créer
un espace à soi a parfois des allures de récit refuge
dont la lecture, si érudite soit-elle par moments,
fait un bien fou. La langue est lumineuse, précise ;
la structure ambitieuse et pleine de délicatesse. »
Le Devoir

« C'est peut-être là la plus grande vertu de ce roman,
celle de nous enseigner à prêter l'oreille à cette
poésie, au magnétisme des mots. »
Lettres québécoises

« Un livre superbe, tout en délicatesse et en
profondeur, l'un des grands titres de cette rentrée. [...]
Les villes de papier de Dominique Fortier a su rendre,
en dialoguant avec l'œuvre, la sidération qui s'empare
de nous quand on lit la poésie de Dickinson. »
La Presse +

« Une réflexion enivrante sur un personnage
intemporel, mais aussi sur ces lieux qui nous
façonnent et qui peuvent influencer notre destinée. »
L'Actualité

Dominique Fortier

Les villes de papier

Alto | CODA

Les Éditions Alto remercient de leur soutien financier
le Conseil des arts du Canada et la Société de développement
des entreprises culturelles du Québec (SODEC).

Gouvernement du Québec – Programme de crédit d'impôt
pour l'édition de livres – Gestion SODEC.

Financé par le gouvernement du Canada | Canadä

Photographie de la couverture : *Herbarium,* Emily Dickinson (détail),
MS Am 1118.11, Houghton Library, Harvard University

ISBN 978-2-89694-469-9

(Première édition : 2018, ISBN 978-2-89694-390-6)

À Fred et Zoé – ma maison

To make a prairie it takes a clover and one bee,
One clover, and a bee,
And revery.
The revery alone will do,
If bees are few.

Emily DICKINSON

Emily

Emily est une ville de bois blanc nichée au milieu de prairies de trèfle et d'avoine. Les maisons carrées y ont des toits en pente, des volets bleus qu'on ferme à l'approche du soir et des cheminées par lesquelles il arrive que s'engouffre un oiseau qui volera, éperdu, les ailes pleines de suie, par toutes les chambres. Plutôt que de tenter de le chasser, on l'adoptera pour apprendre son chant.

La ville compte dix fois plus de jardins que d'églises, lesquelles sont toujours désertes. Dans leur ombre tranquille poussent les campanules et les champignons. Les habitants se parlent par signes mais, comme chacun utilise ceux de son invention, ils ne se comprennent guère et préfèrent le plus souvent s'éviter.

À la saison froide, Emily se couvre de neige, et les doctes mésanges, de leurs pattes fines, viennent y écrire des poèmes tout blancs.

Amherst

Amherst, au Massachusetts, est une ville – un village – hors du temps comme de l'espace.

À la naissance d'Emily, en 1830, on y compte 2 631 habitants. À l'époque, la ville de Chicago n'existe pas. En 1890, quatre ans après la mort d'Emily, Chicago abrite 1 099 850 habitants, tandis qu'Amherst ne compte pas encore 5 000 âmes – moins une.

C'est une bourgade lettrée, qui a vu se succéder des générations d'éminents Dickinson. La ville est nommée en l'honneur de Jeffery Amherst, premier baron du nom, le même qui suggéra, lors des guerres indiennes, d'offrir aux sauvages des couvertures ayant servi à envelopper les malades de la petite vérole afin d'en finir au plus vite avec cette race exécrable.

On aurait pu mieux choisir.

Aujourd'hui, alors que nous sommes assaillis par des images qui se démultiplient à l'infini, il est stupéfiant de songer que, de celle qui fut l'une des plus grandes poètes de son pays, il n'existe qu'une seule photographie, prise à l'âge de ses seize ans. Sur ce cliché célèbre, elle apparaît mince et pâle, son long cou ceint d'un ruban de velours sombre, ses yeux noirs largement écartés exprimant une attention tranquille, avec, aux lèvres, l'ombre d'un sourire. Ses cheveux séparés au milieu sont ramenés en arrière. Elle porte une robe rayée très simple, au col clair, froncée à la taille, et tient dans sa main gauche quelque chose qui peut être un petit bouquet de fleurs. Sur une table, près d'elle, est posé un livre dont on ne distingue pas le titre. Il n'y a pas d'autre photographie la montrant plus jeune ou plus vieille, ailleurs, ou debout – ou alors elles ont été perdues, détruites. Elle n'a pas, elle n'aura jamais de jambes.

Pour toujours et à jamais, elle ne sera que ce visage. Mieux, ce masque.

Emily Dickinson est un écran blanc, une page vierge. Eût-elle plutôt choisi, à la fin de sa vie, de passer une robe bleue, nous ne pourrions rien dire d'elle.

À cinq ans, la petite Emily Elizabeth va passer quelques jours chez sa tante à Boston. En chemin, leur voiture traverse un orage violent. Des éclairs déchirent le ciel noir, la pluie frappe les vitres avec un bruit de gravillons. La tante serre l'enfant contre elle pour la rassurer. Mais la petite n'a pas peur. Fascinée, elle se penche vers la vitre froide, y appuie le front et souffle :

« Feu. »

Chez la tante, les fenêtres sont percées si haut que même en se dressant sur la pointe des pieds elle n'arrive pas à voir autre chose qu'un bout de ciel blanc. Elle grimpe sur son lit pour découvrir la rue en contrebas, les deux arbres jumeaux qui poussent de l'autre côté, les gens qui se pressent sur les trottoirs.

Elle fait un premier bond prudent, puis un deuxième, et un troisième encore, de plus en plus haut, sur le matelas en plumes d'oie qui s'enfonce mollement sous son poids. La rue saute au même rythme qu'elle, avec tous ces petits personnages, comme des soldats de plomb qu'on agite dans une boîte.

— Elizabeth !

Dans l'encadrement de la porte, la tante a l'air courroucée. L'enfant cesse aussitôt de sauter et, bien droite, campée sur ses jambes courtes, répond à haute et intelligible voix :

— Je préférerais que l'on m'appelât Emily.

Un merle se pose sur l'appui de la fenêtre où Emily a semé des miettes de pain. Il a le ventre semblable à l'une de ces oranges miraculeuses qui gonflent les bas suspendus à la cheminée, la veille de Noël.

Il gobe un bout de pain, puis, en une série de trilles, se lance dans de longues histoires d'oiseau. Il y est question de vers de terre, d'une oiselle volage, d'un chapelet d'œufs bleu-vert dont l'un a mystérieusement disparu. Emily l'écoute, frémissante, tête inclinée de côté, l'œil brillant. Elle aussi prend une miette, entre le pouce et l'index, et la porte à ses lèvres. C'est son repas préféré de la journée.

Quand elle faute, c'est toujours le même péché : la gourmandise, qui la pousse à chiper une part de la tarte qui refroidit à la cuisine, ou à dérober le volume interdit dormant sur une des étagères dans le bureau de Père. Mère ne s'y trompe pas, et la punit chaque fois de la même façon, en l'enfermant seule dans une pièce, sans aucune des distractions propres à amuser les enfants. Lorsque la punition est terminée, la mère ne voit pas que sa fille en sort à regret. Il faut bien mal connaître Emily Dickinson pour s'imaginer la châtier en l'enfermant dans le silence seule avec ses pensées.

Si elle arrivait à passer une journée, une seule, sans bêtise, sans mauvaise action ni pensée méchante, sa vie entière serait rachetée par cet unique jour parfait. Mais voilà : elle n'est pas certaine de vouloir être sage. Les marguerites ne sont pas sages, pas plus que les outardes qui passent en V dans le ciel. Elles sont mieux : sauvages comme la moutarde, folles et mauvaises comme l'herbe.

Le jardin bruisse des murmures des fleurs. Une violette ne se remet pas d'être si fripée. Une autre se plaint de ce que les grands tournesols lui font de l'ombre. Une troisième lorgne les pétales de sa voisine. Deux pivoines complotent sur la façon d'éloigner les fourmis. Un lys long et pâle a froid aux pieds, la terre est trop humide. Les roses sont les pires, énervées par les abeilles, incommodées par la lumière trop vive, soûlées de leur propre parfum.

Seuls les pissenlits n'ont rien à dire, trop heureux d'être en vie.

Les fleurs que les enfants ont cueillies l'après-midi reposent dans le panier d'osier. Père prend une pensée entre ses doigts blancs et explique, de sa voix de pasteur :

— Pour les conserver, il faut d'abord les faire sécher.

Dans la main de Père, la fleur semble déjà se flétrir. Il la pose et sort l'un des volumes de l'encyclopédie *Britannica* qui se dressent, en ordre de 1 à 21, sur l'étagère du milieu de la bibliothèque. Il l'ouvre, le feuillette précautionneusement.

— Après quelques mois, les pages auront absorbé l'humidité de la plante, et vous pourrez la coller dans votre herbier.

Emily s'émerveille en silence de cela : les livres s'abreuvent à l'eau des fleurs.

Père continue du ton savant qui est le sien quand il enseigne, c'est-à-dire tout le temps :

— Pour vous souvenir de l'endroit où vous avez placé le spécimen, je vous conseille de choisir un numéro de page correspondant à une date célèbre. Par exemple, celle du début de la guerre de Cent Ans…

Il attend.

— 1337, soufflent en chœur Austin, Lavinia et Emily.

Les deux premiers prennent un volume, insèrent délicatement les feuilles des fleurs entre les feuilles des livres et murmurent pour eux-mêmes «Déclaration d'indépendance», «chute de l'Empire romain», «naissance de Mère».

Emily seule semble semer les fleurs au hasard dans le dictionnaire qu'elle a choisi. Père l'observe un instant, sourcils froncés.

— Comment retrouveras-tu tes spécimens si tu les mets n'importe où?

Elle sourit:

— Je saurai.

Des mois plus tard, alors qu'au cœur de l'hiver ils cueillent les fleurs de l'été dans la bibliothèque, elle rouvre le dictionnaire sans hésiter. Tandis que les autres marmonnent des chiffres entre leurs lèvres, elle prononce comme une formule magique un mot, un seul: *jasmin,* et le jasmin apparaît.

Emily a illustré les entrées du dictionnaire.

Elle rentre les feuilles de menthe, les pétales de rose et les fleurs de camomille, les donne à Mère pour qu'elle les suspende à sécher dans la cuisine. Ces plantes-là ne sont pas destinées à l'herbier. Elles seront à boire durant l'hiver.

Dans un petit sac, elle conserve les graines volées aux oiseaux à la fin de l'été, le jardin à venir.

Mère est à la cuisine, les filles mettent la table pour le souper. Père est déjà assis. Au bout, comme il se doit, il attend. Lavinia dispose les couverts de tous les jours, Emily la suit en portant les assiettes en porcelaine bleu et blanc.

— Tss, fait Père, devant qui elle vient de poser la sienne.

— Oui, Père?

— Je voudrais bien savoir pourquoi c'est toujours moi qui hérite de cette assiette ébréchée.

Emily revient sur ses pas, plisse les yeux. C'est vrai: il manque à l'assiette qu'elle a déposée devant lui un éclat minuscule, grand comme la lunule d'un ongle.

— Pardon, dit-elle.

Elle reprend l'assiette et, d'un pas tranquille, traverse la salle à manger, la cuisine, ouvre la porte qui mène au jardin. Là, elle avise une grande pierre plate. Elle y laisse tomber l'assiette, qui vole en éclats. Puis elle rentre du même pas mesuré et annonce:

— Cela ne se reproduira plus, je vous le promets.

Stupéfait, il ne répond rien.

Sur la table cirée, son reflet inversé est aussi étonné que lui. Dans l'herbe, les tessons de porcelaine ressemblent aux vestiges d'une civilisation disparue.

— Il a neigé!

Austin est le premier levé. Il a couru dans la chambre d'Emily et Lavinia, qui bondit à sa fenêtre: le jardin est couvert d'un drap blanc, les arbres enguirlandés.

Tous trois dévalent l'escalier pour aller enfiler bottes, manteaux, bonnets, châles et mitaines. Père les toise, au pied des marches. Il ne dit rien mais a son expression d'horloge grand-père. Les enfants se calment à peine.

Personne n'est encore sorti: ils sont les premiers à fouler la page blanche du jardin où ils dessinent trois petits labyrinthes entremêlés. Ils façonnent des boules de neige qui explosent comme des pétards à la farine sur leurs manteaux sombres.

Après quelques minutes, Emily, à bout de souffle, se laisse tomber sur le dos. Elle bat des bras, écarte et rapproche les jambes pour dessiner un ange de neige. Austin s'effondre à sa droite, Lavinia à sa gauche; c'est une ribambelle d'anges qui apparaissent, comme une série de poupées de papier.

Il neige toujours. Les flocons sont brûlants quand ils atterrissent sur leurs joues rouges. Les enfants ont les cils blanchis comme par du sucre en poudre. Lorsqu'ils se lèvent enfin, leur empreinte reste couchée – trois petits gisants de neige.

～

Des années plus tard, en se penchant à sa fenêtre un matin du mois de décembre, Emily les revoit, trois petits fantômes, neuf, sept et cinq ans. Ces enfants ne sont plus, disparus aussi sûrement que si on les avait ensevelis. Des années plus tard, devant la première neige, elle éclate en sanglots.

~

Sur un portrait réalisé par Otis Allen Bullard, les enfants apparaissent comme autant de variations d'un même individu (la mère? le père?), en tout cas, des adultes qui auraient été réduits à des proportions d'enfants: le regard grave, le nez long, le sourire las. Ils sont quasiment interchangeables, à ceci près qu'Austin est vêtu d'un petit costume noir à collet blanc, tandis que les deux fillettes sont habillées de robes (vert d'eau pour Lavinia, une teinte plus foncée pour Emily) au col de dentelle. Ils semblent tous les trois avoir les cheveux très courts, séparés par une raie de côté, mais il se peut que les filles aient plutôt la chevelure lissée vers l'arrière. À un œil moderne – et peut-être à un œil de l'époque aussi –, on dirait une peinture exécutée pour se souvenir de trois petits morts, ou bien qui aurait été réalisée des années après l'enfance du frère et des sœurs, avec pour modèles les adultes qu'ils étaient devenus.

Car, bien sûr, nous savons que les enfants ont survécu, qu'ils ont grandi, l'un d'entre eux a même eu des enfants à son tour. Peut-être que ce que cette peinture donne à voir, c'est que devenir adulte ne sauve pas l'enfant de la mort.

Dans Main Street, Austin et Emily passent devant la vaste demeure qu'a fait construire leur grand-père Samuel.

— C'est ici que tu es née, dit le frère à la soeur.

Elle le sait. C'est dans cette maison qu'ils sont tous nés. Elle se retient pour ne pas répondre : «Et c'est ici que je mourrai.»

— À l'époque où grand-père l'a fait bâtir, c'était la toute première maison en briques de la ville.

Elle le sait aussi. Rien ne lui est étranger de la maison où elle a habité jusqu'à ses dix ans, même après que – honte, sacrilège, humiliation – le grand-père l'eut perdue, et qu'ils eurent dû la partager avec la famille de ce marchand qui l'avait rachetée. Du côté ouest : les Dickinson. Du côté est : les Mack. Chaque fois qu'Emily rencontrait l'un d'entre eux dans un couloir, elle sursautait comme si elle était tombée sur un spectre ou un intrus entré par la fenêtre. Que faisaient ces étrangers dans sa maison?

Elle s'en rappelle encore les moindres détails, l'odeur de cire des parquets blonds, le rayon de soleil qui filtrait par les volets entrouverts du bureau de Père et venait faire briller l'or des caractères au dos des livres, la pénombre de la petite laiterie où, avec Austin, elle allait laper la crème au col des bouteilles de lait, la cave fraîche au parfum de betteraves et d'oignons, sa chambre claire.

Elle sait que cette maison redeviendra sienne. Elle a raison. En 1855, le père d'Emily rachètera la demeure paternelle et y ramènera sa famille, qui à partir de ce moment l'occupera en entier. Il fera peindre la brique couleur vanille et les volets en vert forêt, en plus de procéder à diverses améliorations, parmi lesquelles la construction d'une verrière où Emily cultivera des plantes rares – une autre production inusitée et capricieuse, c'est à croire qu'elle a juré d'en faire une spécialité.

En rentrant à Homestead à vingt-cinq ans, elle effacera d'un coup les quinze années précédentes. Maintenant retrouvée la demeure de son enfance, elle sera bien déterminée à ne jamais les quitter – et la demeure, et l'enfance.

En rentrant à Homestead à vingt-cinq ans, elle songera que, de tous les membres de sa famille, celui qu'elle préfère, c'est peut-être bien la maison.

La demeure où vit Emily de l'âge de dix ans à vingt-cinq ans est située, Pleasant Street, en face du cimetière. Quelques fois par mois, elle voit par la fenêtre passer la mort en procession.

Non loin de la maison, dans une cabane en planches trop petite pour être tout à fait une grange ou une écurie, ils gardent une vache aux longs cils, Dorothy, que l'on trait matin et soir et qui fournit le lait et la crème nécessaires à la famille. Dans un box près de la vache, il y a un cheval bai, Duke, que le père attelle à la voiture quand il sort. Les trois poules, Gwen, Wren et Edwig, qui pond un jour sur deux, caquettent dans un appentis, de même qu'un coq, Peck, lequel veille farouchement sur les poules. Il y a aussi un cochon – qui n'a pas de nom. On l'engraisse tout l'été des déchets de cuisine, épluchures, trognons, restes de table, et on l'égorge à l'automne pour en faire de la saucisse, des rôtis et des côtelettes qui dureront jusqu'à la nouvelle année.

De cela, Emily tire une leçon : il est important de donner des noms aux choses.

Depuis des mois, je relis les recueils de poèmes et de lettres d'Emily Dickinson, je compulse les ouvrages savants qui lui ont été consacrés, j'écume les sites où l'on voit des photos de Homestead, des Evergreens voisins, de la ville d'Amherst au temps des Dickinson. Jusqu'à maintenant, c'est une ville de papier. Est-il préférable qu'il en soit ainsi, ou devrais-je, pour mieux écrire, aller visiter en personne les deux maisons transformées en musées? Simplement posé : vaut-il mieux avoir la connaissance, l'expérience nécessaires pour les décrire telles qu'elles sont en réalité, ou la liberté de les inventer? Pourquoi est-ce que j'hésite à faire un trajet de quatre heures en voiture? Depuis quand ai-je peur d'entrer dans un livre? Plus j'attends, et plus les derniers vestiges de l'été disparaissent. Bientôt il ne restera plus du jardin d'Emily que des tiges sèches et des fleurs fanées. Mais peut-être est-ce ainsi qu'il doit être découvert, et non pas dans la folle luxuriance des journées d'août.

À la Noël comme tous les autres jours de l'année, Edward Dickinson traite ses enfants avec une sévérité qu'il veut teintée de bienveillance. Au pied du sapin qu'ils ont garni de guirlandes de maïs soufflé, de rondelles de pommes séchées et de flocons de neige découpés dans des feuilles blanches, il y a un présent pour chacun, enveloppé dans du papier kraft, entouré d'une ficelle, comme s'il avait d'abord prévu les confier à la poste et s'était ravisé *in extremis.*

Les enfants s'avancent un à un, de l'aîné à la cadette, pour recevoir, outre leur paquet, une orange et un bâton de sucre d'orge. Les présents sont à l'image de celui qui les a choisis : Edward Dickinson n'est pas d'avis que l'on doive gâter les enfants, fussent-ils des filles. La maisonnée pauvre en poupées et en peluches est pleine de livres et de gravures.

Cette année-là, Austin reçoit un nécessaire de correspondance complet, solide et de bonne fabrication, élégant sans ostentation : plumes, taille-plume, flacons d'encre, papier à lettres, enveloppes, buvard, sous-main en cuir. Il tâte les pointes d'argent comme, dans d'autres maisons, des enfants éprouvent la pointe de la baïonnette de leurs soldats de plomb.

Emily s'avance, fait une petite révérence. Père lui met la main sur la tête en guise de bénédiction. Mère pose sur son front un baiser si léger qu'elle le sent à peine. On lui donne le présent qui lui est destiné. Le paquet est de forme allongée, une sorte de tube qu'elle palpe avant de défaire le papier en faisant attention de ne pas le déchirer. À l'intérieur, un objet cylindrique, long comme deux mains, dont les extrémités – l'une légèrement plus large que l'autre – sont cerclées d'or.

— Une longue-vue! s'exclame-t-elle.

— Presque, répond le père.

— Regarde à l'intérieur, suggère Austin.

D'abord, elle ne distingue rien que des taches de couleurs dénuées de sens, puis ces couleurs s'organisent pour devenir des fragments juxtaposés à la manière de joyaux translucides. Elle y voit l'arbre de Noël tout entier, mais morcelé, et ces morceaux se mettent à culbuter quand elle tourne la bague, pour former des images à la fois familières et impossibles, qui se reflètent elles-mêmes avant de se fondre les unes dans les autres, de s'inverser et de se dédoubler, comme si elle avait échappé la maison par terre et cherchait follement à la recoller en faisant tourner les éclats dans tous les sens.

Emily éloigne son œil, prise de vertige. Cet instrument prend le monde tel qu'il est et le rend méconnaissable. Tandis que Lavinia déballe une jolie boîte à couture, Emily a cette parole curieuse:

— Mais j'ai tant de livres déjà…

— Voyons, Emily, ce n'est pas un livre, tu vois bien, enfin, s'exclame sa mère.

Comment lui expliquer que certes, ce n'est pas un livre, mais que l'inverse n'est pas vrai.

Seul Austin comprend, et lui fait un clin d'œil. Ces deux-là s'entendent à demi-mot. Avec son nécessaire de correspondance, c'est à Emily qu'il écrira sa première lettre, *Chère Lady de la Maison,* tandis qu'elle arpentera les pièces, son kaléidoscope vissé à l'œil, pour les déconstruire une à une : la cuisine, le salon, la salle à manger, sa chambre enfin, mise en morceaux, tournoyant sous ses doigts.

~

Dans la bibliothèque d'Emily, les livres s'alignent comme des soldats à l'attention. L'un renferme des oiseaux, un autre des coquillages. En ouvrant un troisième, on découvre le système solaire entier : Mercure, Vénus, la Terre, Mars, Jupiter, Saturne et Uranus. Il y a les œuvres complètes de Shakespeare. La Bible, qui contient toute la Vérité.

Sa chambre abrite tout cela et bien plus, car rien n'a été dit des cahiers aux pages blanches qui attendent ce qui n'existe pas encore – les oiseaux, les arbres et les planètes qui peuplent son crâne, cette autre chambre secrète.

Emily va à l'école à l'Amherst Academy, institution fondée par son illustre grand-père, et dont son père est le trésorier. Il n'est guère d'entreprise ou de transaction, en ville, qui se fasse sans le concours d'Edward Dickinson, dont l'influence s'étend même au-delà des limites de l'État, puisqu'il sera plus tard élu au Congrès des États-Unis d'Amérique. Le grand-père, des années plus tôt, avait lui-même siégé au Sénat. C'est tout naturellement qu'Austin marche dans leurs pas, d'abord à l'Academy, puis à la faculté de droit de Harvard.

Quant aux femmes de la famille, on dit qu'Emily Norcross, la mère d'Emily, a le pouce vert. Et Lavinia brode fort joliment. Emily fille, ayant paraît-il hérité du talent de sa mère, sait faire fleurir les orchidées.

L'herbier réalisé par Emily Dickinson à l'adolescence (son *herbarium*) est aujourd'hui conservé à la Houghton Library de l'Université Harvard, où il a été numérisé. On peut ainsi en visionner la copie en ligne, tandis que l'original reste soigneusement à l'abri des mains sales.

Il rassemble sur soixante-six pages quatre cent vingt-quatre spécimens de fleurs et de plantes disposés avec un soin qui relève plus du souci esthétique que de la rigueur scientifique. Sur certaines subsiste le souvenir de la couleur de la fleur cueillie il y a un siècle et demi. Les jaunes, en particulier, semblent ne pas trop souffrir du passage du temps; les ors virent à l'ocre, les moutardes se font roussâtres, mais l'œil recrée de lui-même, d'instinct, le cœur des marguerites. Les feuilles paraissent faites en feutre, légèrement grisées, comme si elles avaient été couvertes de cendre par les ans.

En lisant les fleurs comme une histoire, de gauche à droite et de haut en bas, on commence avec le jasmin, l'une des deux fleurs-reines en parfumerie, depuis toujours associée à l'amour et au désir – la légende ne veut-elle pas que Cléopâtre ait vogué à la rencontre de Marc Antoine sur un vaisseau aux voiles imbibées d'essence de jasmin? J'aime cependant à croire que ce n'est pas cet usage historique et flamboyant qui lui a valu de faire office de lettrine dans l'herbier, mais cette autre utilité, humble et quotidienne: plongées dans de l'eau très chaude avec des feuilles de thé, ses fleurs font une exquise infusion.

Le troène vient en deuxième. Celui-là possède des fleurs blanches au parfum suave et des baies noires toxiques. De son fruit, on tire une teinture qui servit longtemps à noircir les perles des chapelets, de même qu'une encre violette prisée des enlumineurs.

Les grandes feuilles dentelées du *Collinsonia canadensis,* ou *horse balm,* qu'on pourrait traduire par «remède de cheval», occupent le milieu de la page. Cette plante odoriférante dont le parfum rappelle celui de la menthe sert de traitement contre divers maux du système respiratoire. C'est aussi l'une des simples qui, des siècles avant qu'Emily ne compose son herbier – et bien avant que ses ancêtres les puritains ne débarquent de leurs navires afin d'établir leur royaume terrestre en ce nouveau continent –, furent utilisées par les Indiens Massachusetts pour guérir les premiers colons qui, pendant les grands froids de l'hiver, se mouraient du scorbut couchés dans la neige. Simplement dit : cette plante peut vous sauver la vie.

Un deuxième brin de jasmin est disposé en bas à gauche, non loin d'un fer à cheval, la seule plante dont se nourrisse l'argus bleu nacré, fragile papillon aux ailes couleur de perle.

À la première page de son herbier, Emily rassemble ainsi ce qui est nécessaire à l'écrivain qu'elle est déjà sans le savoir, ou le sachant peut-être : la couleur pour faire l'encre qui lui servira à écrire et à dessiner, de quoi s'éclairer, un moyen d'attirer les papillons, un baume pour soigner du froid – et des fleurs pour le thé.

Comme ses plantes, elle aussi a passé l'hiver entre les pages d'un livre.

Dans le salon, Emily et l'horloge se font face, toutes deux longues, droites et lisses. L'horloge en son armure de noyer cache ses rouages. Sa face est blanche, où court une fine aiguille. À hauteur de genoux oscille un lourd pendule doré. On entend son cœur battre. Emily en ce temps-là est tout de bleu vêtue. Ça lui va assez mal au teint, mais elle s'en moque. Tous les vêtements sont inconfortables, ces culottes en lin rugueux, ces dentelles qui grattent le cou, le velours si doux qu'il en donne des frissons. Si elle avait le droit, elle irait toute nue, ou alors elle aussi habillée de noyer ou d'acajou. À treize ans passés, elle ne sait toujours pas lire l'heure. Elle s'y refuse farouchement.

Emily ne quitte pas l'aiguille des yeux. Si elle détourne le regard une seconde, le monstre va la dévorer. Un sablier contient du sable, une clepsydre est pleine d'eau, une horloge est faite en heures.

Toutes ces heures vont sortir à la fois, les heures de fièvre, les heures perdues à attendre le sommeil, les heures de cauchemars, les longues heures de silence, celle de sa naissance et celle de sa mort déferleront en un ruban ininterrompu qui viendra l'étrangler. Emily retient son souffle. L'aiguille fait un petit bond en avant, puis le carillon retentit, assourdissant, comme le bourdon d'une église. Le monde est sauvé. Emily repart à cloche-pied, l'horloge continue de marquer les heures qui lui sont comptées et qu'elle refuse de lire.

Pendant des années, chaque fois que nous allions à la mer, j'en rapportais des poignées d'agates blanches, rousses, jaune moutarde, safran, et des morceaux de *sea glass* bleutés polis par les vagues. Une fois rentrée à la maison, je les disposais dans la bibliothèque de mon bureau, entre les livres. En les prenant aujourd'hui, j'ai l'impression que les heures passées à marcher sur la plage dans la lumière d'automne se sont cristallisées, comme la sève se change en ambre. Je tiens les heures dans ma paume.

Sophia Holland, la cousine et meilleure amie d'Emily, revient d'un été à la mer. Son teint pâle s'est doré d'un faible hâle, mais elle a toujours des cernes lilas sous les yeux, les joues creuses et les prunelles brillantes. Dans sa robe blanche, elle est d'une beauté saisissante.

— Je t'ai rapporté quelque chose, annonce-t-elle à Emily.

— Qu'est-ce que c'est?

— Devine.

Emily ferme les yeux et tend la main. Sophia y dépose un objet plat, plus léger qu'un galet, presque parfaitement rond. Du bout des doigts, Emily en étudie la texture – à peine rêche, comme un velours qui aurait été mouillé et aurait durci en séchant, et la surface – à peine bombée sur un côté, marquée d'indentations presque imperceptibles.

— Je ne sais pas, dit-elle en ouvrant les yeux.

— C'est un dollar des sables.

Emily observe, sur la face bombée, une fleur à cinq pétales, à moins que ce ne soit une étoile gravée dans le calcaire.

— C'est un coquillage?

— Un oursin. Un oursin à fleur et sans piquants.

— Il est vivant?

Emily colle son oreille contre la surface, pour entendre battre un cœur.

— Je ne crois pas. Peut-être bien.

— J'ai aussi quelque chose pour toi, souffle Emily.

De sa poche, elle sort un petit carton plié en deux, où elle a collé son trésor le plus précieux : un trèfle à quatre feuilles.

— On dit que ça porte chance.

Sophia hoche gravement la tête.

Ce soir-là, sous l'oreiller, les doigts d'Emily serrent le dollar des sables. Elle s'endort en rêvant au pays où il sert de monnaie d'échange, et aux merveilles qu'il permet de se procurer : le cri de l'oiseau moqueur, une première neige, un encrier qui ne se vide jamais, des jours à ajouter à votre vie.

Le frère et la sœur ont déplié devant eux des cartes géographiques. D'une chiquenaude, ils franchissent des fleuves et sautent par-dessus des frontières. C'est le seul genre de voyages auquel rêve Emily. Certains atlas montrent des pays inconnus. Sur d'autres pages, elle reconnaît des noms familiers.

— Tu vois, pour se rendre d'Amherst à Boston, explique Austin à Emily, il faut traverser Springfield, Leicester, Worcester, Linden, Waltham.

Du doigt, Emily suit sur la carte les villes en enfilade en prononçant les noms à voix haute.

— Sauf que celle-là, dit Austin en montrant Linden, elle n'existe pas.

Emily lève les yeux sans comprendre. Le nom est imprimé dans le même caractère que les autres, les cartes ne mentent pas.

— Elle n'existe que sur la carte, précise Austin. Je le sais, j'ai fait le chemin vingt fois. Il n'y a là qu'un petit bois et des champs de maïs. Pas même une cabane.

— Mais comment cela est-il possible? demande Emily.

— C'est une ville de papier. Les gens qui ont dessiné la carte l'ont inventée de toutes pièces afin de s'assurer que personne ne leur volerait leur travail.

— Voler une ville, quelle drôle d'idée, fait remarquer Emily.

— Voler non pas une ville, mais son nom, et son tracé, la corrige Austin. Si d'aventure les fabricants de cette carte-ci découvrent la ville de Linden sur une autre carte, ils auront la preuve qu'on a copié leur ouvrage.

— Une ville de papier, répète Emily.

Dans sa chambre il y a un lit, une commode, une table et une chaise, et partout des piles de livres. Dans les livres il y a tous les pays du monde, les étoiles du ciel, les fleurs, les arbres, les oiseaux, les araignées et les champignons. Des foisonnements réels et inventés. Dans les livres il y a d'autres livres, comme dans un palais des glaces où chaque miroir en réfléchit un second, chaque fois plus petit, jusqu'à ce que les hommes ne soient pas plus grands que des fourmis.

Chaque livre en contient cent. Ce sont des portes qui s'ouvrent et ne se referment jamais. Emily vit au milieu de cent mille courants d'air. Toujours il lui faut une petite laine.

~

Près d'elle, entre les pages fines de la bible, s'entassent toutes ces autres villes passées et présentes, réelles et inventées : Jérusalem, Bethléem, Saba, Cana, Sodome et Gomorrhe, Capharnaüm, Jéricho, Babylone.

Chaque fois qu'elle ouvre le livre saint, Emily s'attend à voir jaillir ces villes et leurs multitudes, comme dans certains volumes pour enfants des découpages s'élèvent en pliures compliquées pour former une cabane, un château, une forêt de papier.

Les rayons d'or déferlent en coulées de miel par la fenêtre. La lumière d'après-midi est si épaisse qu'Emily a l'impression d'être une abeille prise dans de l'ambre. Dans la maisonnée Dickinson, chacun vaque à ses affaires. Père se prépare en vue d'une rencontre avec un client important ; Mère est très occupée par ses migraines ; Austin repasse sa leçon de grammaire ; Lavinia, un chat sur les genoux, brode un coussin, tandis qu'Emily, là-haut dans sa chambre, écrit une lettre à quelqu'un qui n'existe pas. Si elle a assez de talent, il finira par apparaître.

Les mots sont de fragiles créatures à épingler sur le papier. Ils volent dans la chambre comme des papillons. Ou bien ce sont des mites échappées des lainages – des papillons à qui manquent la couleur et l'esprit d'aventure.

Dans un livre écrit par un Français, ce soir-là, Emily lit l'histoire d'un Juif ayant vécu cent vies. Cent vies, la belle affaire. Et pas une fois il n'avait été un oiseau.

Dickinson : *son,* fils de, *Dick,* Richard, cœur de lion.

Tous ces James, fils de Nathanael, Arthur, Thomas et Matthew. Tous ces John, ces William, Peter, fils de Joseph, fils d'Albert, de Francis, de Samuel, une longue lignée mâle venant s'éteindre avec elle, qui les contient tous.

Où est-il, le suffixe pour dire «fille de»? Est-elle de si peu d'importance, vraiment, qu'il ne serve même à rien de la nommer? Emily, cœur de pomme.

De l'autre côté de la fenêtre, l'automne arrive. *Fall* – la chute de l'été qui tournoie comme une samare avant d'aller s'abîmer très loin, quelque part de l'autre côté de la Terre. Les feuilles du jardin sont d'un vert d'épinard, recouvertes d'un voile gris qu'ont laissé sur elles les chaleurs de l'été et qui ressemble à la poudre enveloppant certains champignons. Elles s'apprêtent à virer au rouge grenade, au citron, à l'orange tandis que sous les tropiques où poussent ces fruits prodigieux c'est l'été à longueur d'année. Les feuilles tournent au rose fraise, l'automne contient déjà le printemps.

Sur la table de la salle à manger des Holland, la mort est couchée. Elle a pris les traits de Sophia, dont le visage n'est plus qu'un masque cireux. Emily s'approche sur la pointe des pieds, comme pour ne pas réveiller un enfant qui dort.

On a mis à Sophia sa plus belle robe, rose, ornée de dentelles aux poignets et au col, et ses bottines vernies. Elle a un nœud dans ses cheveux soigneusement bouclés. Emily s'imagine Mrs. Holland coiffant sa fille comme une poupée. Les gens prononcent des paroles dénuées de signification : *typhus, miséricorde, volonté divine.*

Sophia ne semble ni apaisée, ni soulagée, ni endormie, Sophia n'est pas là. Elle a été remplacée par son absence. Emily s'approche encore, presque jusqu'à la toucher. Sous la peau blanche percent des reflets bleu-vert qui lui rappellent la surface du lard gardé trop longtemps à la chaleur. Emily jette un coup d'œil par-dessus son épaule. Personne ne la regarde. Elle met la main dans son tablier, y prend le dollar des sables que lui a donné Sophia l'été précédent et le glisse dans la poche de la robe rose, en espérant que cela suffira.

Elle ne pleure pas, se contente de serrer les poings dans ses poches vides, jusqu'à ne plus sentir ses doigts. Mais le soir, quand on apporte à table le jambon luisant de gras sous l'éclat de la lampe, Emily se met à vomir.

Le chemin menant de la maison à l'école n'est pas très long, mais Emily a l'impression de traverser des continents et de franchir des océans. Les sabots des chevaux frappent la terre à la même cadence que la très fine aiguille de l'horloge grand-père égrenant les secondes. Père conduit sans dire un mot. Emily est habitée par un sentiment qu'elle ne connaît pas, un mélange de crainte et de hâte qui lui donne des fourmis dans les jambes et des papillons dans l'estomac. Cela ne lui déplaît pas : ça lui fait des compagnons de voyage.

Le Mount Holyoke Female Seminary est une grande construction régulière dont les quatre étages sont percés de fenêtres parfaitement alignées, quatre rangées de haut, seize colonnes de large. Les étages supérieurs, suppose Emily, doivent abriter les chambres des élèves et des professeurs. Sur le toit sont fichées sept cheminées.

— On dirait des bougies d'anniversaire, vous ne trouvez pas, Père ?

— Hein ?

— Les cheminées.

Il les regarde un instant puis se retourne vers cette curieuse enfant qui ne dit jamais ce qu'on attend d'elle.

— Mais non, en fait, reprend Emily, elles font plutôt penser aux cheminées d'un paquebot immense qui aurait fait halte juste ici, au milieu de la plaine.

— Elles font surtout penser que vous ne gèlerez pas en hiver, commente le père en arrêtant les chevaux.

Ils descendent, et Edward débarque la grosse malle dans laquelle Emily a casé ses robes, ses châles, ses jupons et ses chaussures, des livres et son kaléidoscope.

Mrs. Lyon vient les accueillir. Elle a les traits burinés sur son visage fatigué, le sourire franc, les yeux pétillants d'intelligence. Elle s'adresse d'abord à Emily avant de saluer son père.

— Bienvenue parmi nous, Emily.

Celle-ci fait une petite révérence. Le père se dirige vers la porte d'entrée, laissant la malle pour que quelqu'un vienne la récupérer plus tard. Mais Mrs. Lyon se penche, saisit la poignée en cuir fixée à l'une des extrémités et, sans autre forme de cérémonie, se met à tirer. La voyant, Emily s'empresse d'attraper la seconde poignée. À elles deux, elles arrivent à soulever la malle de quelques pouces.

— Voyons! s'écrie Edward, alarmé, qui, s'étant enfin retourné, a surpris leur manège.

Un instant, il hésite, ne sachant s'il convient de soulager d'abord sa fille maigrelette ou la directrice de l'école. Il opte pour cette dernière. Elle lui laisse la poignée de bonne grâce, et explique, tout en faisant signe à Emily de lâcher prise elle aussi :

— Je vous ai dit sans doute, Mr. Dickinson, que nous n'employons point ici de domestiques. Les corvées et les travaux sont équitablement distribués entre les élèves et les professeurs. Cela contribue à l'éducation des premières et à la formation des seconds.

Mais Emily, têtue, refuse de lâcher la malle, qu'elle finit par porter, avec son père, jusqu'à l'entrée du séminaire, où deux professeurs viennent leur prêter main-forte.

Au fil des ans, Père lui a enseigné moult choses importantes, il l'a sermonnée, instruite, éduquée, corrigée, mais c'est la première fois qu'ils font ainsi quelque chose *ensemble*. Du reste, il ne tarde pas à repartir, une main sur ses reins endoloris. Qui aurait cru que de simples étoffes puissent être si lourdes?

Le premier appartement que nous avons loué à Boston, quand l'entreprise de mon mari y a ouvert un bureau quelques mois après la naissance de notre fille, était situé rue Holyoke. Le nom m'avait semblé étrange – à l'époque, tout me semblait étrange –, mais je n'avais pas cherché à savoir d'où il venait ni ce qu'il pouvait signifier.

Nous habitions dans le South End, le plus vaste quartier victorien à l'extérieur du Royaume-Uni, où nous occupions le deuxième et le troisième étage d'une des hautes demeures en briques rouges typiques de la ville. Depuis la rue, ses fenêtres en baie luisaient comme des morceaux de glace au soleil d'hiver. Dans l'ensemble du voisinage, les trottoirs, faits des mêmes briques rousses que les maisons, déformés au fil des ans par le gel et les racines d'arbres, ondulaient sous l'effet de vagues souterraines. Ces briques venaient tout droit des cales des navires qui faisaient escale dans la ville aux dix-huitième et dix-neuvième siècles : elles avaient servi de lest aux bateaux et, comme nous, avaient sans doute parcouru la moitié du globe avant de se poser là.

Pour sortir, il fallait descendre trois volées de marches, en plus de l'escalier extérieur, à pic comme une échelle de bateau et souvent couvert de verglas. Le seul fait de monter à la cuisine (les chambres étaient à l'étage du dessous) exigeait un effort que j'hésitais à fournir – j'avais tout le temps peur d'échapper ma fille dans l'escalier. Je garde peu de souvenirs précis de ce séjour, j'ai dû passer ces semaines claquemurée au deuxième étage, à regarder la neige tomber par la fenêtre, mon tout petit bébé dans les bras.

Il ne se passait pas grand-chose rue Holyoke. Les gens emmitouflés promenaient leur chien sur les trottoirs ondulants matin et soir. Les ombres s'étiraient à la fin du jour, et les lampes s'allumaient dans les maisons de l'autre côté de la rue. Un après-midi, j'ai aperçu dans les branches nues d'un arbre voisin un nid fait de brindilles et de longs fils de laine bleue. C'était le printemps.

~

Que voulait dire ce mot, *Holyoke*? Je n'en avais pas la moindre idée, et pas la force de chercher. Par association, il me faisait penser à un jaune d'œuf, *yolk,* que j'imaginais cru, ce qui m'écœurait légèrement. Quant à Boston, c'était la ville de Botolph, un saint anglais du septième siècle, patron des voyageurs. Jamais je n'avais rêvé d'être une voyageuse, depuis toujours je ne cherchais que le contraire : planter mes racines, me sentir enfin chez moi quelque part. Même si nous n'avions pas l'intention de la vendre, j'avais l'impression que la maison laissée à Outremont avait cessé de nous appartenir dès que nous avions passé la porte et tourné la clef; cet appartement-ci ne serait jamais à nous. Nous n'avions plus de chez-nous.

Le premier jour, nous étions arrivés en fin d'après-midi après le long trajet en voiture, avions déposé nos valises dans l'appartement plongé dans la pénombre pour ressortir aussitôt faire les courses chez Trader Joe's. Ma fille, épuisée, était irritable et je ne valais guère mieux. Le magasin était éclairé par des néons éblouissants, je poussais dans des allées interminables notre chariot vide, sauf pour un contenant de hummus. J'aurais voulu pouvoir m'asseoir quelque part, n'importe où, avec mon bébé, devant quelque chose de chaud. Il me semblait que j'allais m'évanouir. Avec une parfaite mauvaise foi, j'avais déclaré :

«Il n'y a rien à manger ici.»

Puis j'avais éclaté en sanglots au milieu de l'épicerie bondée.

Quelques semaines plus tôt, on m'avait demandé :

— Pourquoi ne veux-tu pas quitter ta maison de Montréal ? Qu'est-ce qui va te manquer le plus, tu crois ?

J'avais cru comprendre que l'exercice visait, une fois ces choses identifiées, à trouver un moyen de les emporter, de les remplacer, de les recréer ou de leur dénicher un équivalent ou un substitut quelconque.

J'avais longtemps réfléchi avant de répondre :

— L'arbre que je vois par la fenêtre de mon bureau.

Au séminaire, Emily et ses condisciples étudient le latin, la botanique, l'astronomie, l'histoire, la minéralogie, la littérature et les mathématiques. On en oublierait presque que ce ne sont que des filles.

~

Les livres parlent des choses, cela est entendu, et entre les pages d'épais volumes poussiéreux que des générations ont tenus dans leurs mains avant elles, les élèves apprennent les roches, les étoiles et les insectes. Mais pour Emily, les choses parlent aussi constamment des livres.

Un matin, contemplant la forêt, elle voit remuer les branches d'un arbre parmi ceux qui l'entourent. C'est d'abord léger, un simple froissement du feuillage qui pourrait être dû au vent, mais bientôt elle en est convaincue : l'arbre a bougé. Elle se rappelle la fantastique forêt de Birnam inventée par Shakespeare, cette armée grossièrement coiffée de feuilles et de branches qui, dans le cliquetis de ses armures, se met en mouvement vers Dunsinane.

Mais ce n'est pas ce que voit Emily. On a montré en classe cette semaine-là des gravures de mangroves, où les palétuviers aux longues racines sortant de l'eau tels des doigts ou des orteils sont appelés *arbres marcheurs*. Ce qu'elle voit, c'est une armée d'érables, de pins, de frênes et de chênes qui lentement extraient leurs racines du sol pour les étendre sur la terre, en éprouver la solidité, humer l'air, puis les glissent légèrement de côté et vers l'avant, comme un homme blessé à une jambe et qui réapprend à marcher. Les branches font doucement contrepoids, les troncs fléchissent à peine vers l'arrière, les racines se soulèvent de terre, pas très haut, puis résolument. Les oiseaux quittent leurs nids, les tamias sautent sur le sol, les créatures s'affolent, et ce déplacement d'abord silencieux s'accompagne maintenant d'une sourde clameur que l'on entend à des milles à la ronde. La forêt court, à présent, elle avance comme une vague immense, dans un bruissement continu. Elle va balayer non seulement le campement ennemi, mais la province entière, le Mount Holyoke où, à sa fenêtre, les yeux clos, Emily attend la déferlante.

Il n'y a pourtant ici rien à attaquer, rien à prendre ni à assiéger, à part un troupeau de jeunes oies dont elle fait partie. Quel est le cours de l'oie sur les marchés? Il ne doit pas être très élevé.

Reste que l'arbre a bougé, elle en est sûre. Debout à ses côtés, Macbeth est dubitatif, mais il est vrai que les héros du Barde sont souvent incertains – ou alors ils prêtent l'oreille à de mauvais conseillers. Quelle armée pourrait donc fondre sur le séminaire en ce matin d'avril?

L'arbre bouge à nouveau, cette fois il se met réellement à marcher.

C'est un *buck* de deux ans peut-être, les bois dressés bien haut sur sa tête comme la couronne d'un grand chêne.

Mrs. Lyon ne se soucie pas uniquement de meubler l'esprit des pupilles qu'on lui a confiées, elle veut aussi sauver leur âme et, pour ce faire, les amener à embrasser le Seigneur; mais pour cela, elle refuse de les terroriser ou de les menacer. Ce n'est pas avec des visions de l'enfer qu'elle les convaincra de venir habiter le royaume de Dieu. Ces jeunes filles sont des créatures sensées, instruites. Elle fera appel à leur raison et respectera leur libre arbitre. Elle leur laissera toute liberté – de dire oui.

— Lesquelles parmi vous, demande-t-elle de sa voix ferme et harmonieuse, ont déjà accueilli le Seigneur dans leur vie et dans leur cœur?

Mrs. Lyon a le visage serein et le regard limpide de ceux qui ont Dieu de leur côté. L'âme en paix, éclairée par ses certitudes.

La majorité des jeunes filles lèvent la main, certaines en tremblant, d'autres avec fierté. Elle survole la salle du regard.

— Lesquelles ont espoir de le faire?

La plupart de celles qui restent lèvent la main à leur tour. Mrs. Lyon laisse durer le moment. Enfin, elle demande:

— Lesquelles sont sans espoir?

Elles sont six ou sept à lever la main. Parmi elles, Emily.

~

Qu'est-ce que c'est que ce dieu qui se scinde en trois, le Père terrible, le Fils sacrifié, l'Esprit insaisissable? Pourquoi refuse-t-Il de Se laisser connaître? Pourquoi accorde-t-Il Sa grâce à certains et pas à d'autres? Qu'aurait-il fallu faire pour L'aimer convenablement? Feindre l'amour? Lui – Eux – qui voi(en)t tout, ne l'aurai(en)t-Il(s) pas deviné? Ce mensonge n'était-il pas pire que le simple constat : Dieu est mystère, Il est silence, et Emily comprend d'abord le monde par les mots. Dieu est une éclipse. Il est au-delà des mots. Il ne Se terre pas dans les églises, c'est en vain qu'on Le cherche entre les pages jaunies des bibles du roi Jacques dont la maisonnée Dickinson compte pas moins de huit exemplaires – plus de livres saints que d'âmes à sauver. Quand elle lève les yeux au ciel, Emily ne voit rien que les nuages. Si le ciel est le repos des justes, cela veut-il dire qu'ils sont changés en oiseaux?

L'hiver, le soleil se couche tôt, Mount Holyoke. Les jeunes filles prennent leur repas du soir à la lumière des lampes alors que dehors les champs sont plongés dans l'ombre. Emily a pour tâche de disposer les couverts sur les tables, ce qu'elle fait avec sérieux et application, comme tout le reste. Elle aime les gestes utiles et répétitifs. Chaque couteau, chaque fourchette est une ancre qui la garde à terre.

Les assiettes blanches luisent à la lueur des lampes, il fait bleu foncé dehors, la neige tombe à gros flocons, des peaux de lièvre. On sert dans de grands bols le chou, les pommes de terre, les morceaux de lard, les navets et les carottes en rondelles qui composent l'ordinaire de la semaine. Les jeunes filles mangent en discutant, on les encourage même à échanger des idées, puis celles dont c'est la tâche de desservir enlèvent la vaisselle tandis que les autres montent dans la pièce commune. Là, elles repassent leurs leçons pour le lendemain avant d'aller enfiler leurs chemises de nuit.

Elles s'interrogent :

— Comment appelle-t-on un groupe de faisans ? demande Anna.

— Un bouquet, répond Isobel. Un groupe d'étourneaux ?

— Un murmure.

— De flamants ?

— Une flamboyance de flamants. De hiboux ?

Isobel hésite. Sans lever les yeux de son livre, Emily répond à sa place :

— On dit *un parlement de hiboux.*

— Très bien. Plus difficile alors. Comment appelle-t-on un groupe d'alouettes ?

— Une exaltation.

— Et de papillons ?

— Un kaléidoscope de papillons.

Elle les observe, tailles fines, tabliers blancs, cheveux attachés, non pareilles et pourtant mystérieusement semblables dans leur jeunesse. Et pour nommer un groupe d'élèves de séminaire, un soir d'hiver, comment dit-on ?

Elles sont tout cela à la fois, bien sûr : exaltation, parlement, flamboyance, kaléidoscope, murmure.

Les jeunes filles se réveillent et descendent du lit d'un bond. Elles donnent cent coups de brosse à leur chevelure qui a subi le même traitement au coucher. Elles s'habillent à la hâte, en prenant soin de choisir leurs chemises les plus blanches et leurs plus jolis rubans.

Ce jour-là on reçoit au séminaire l'auteur presque célèbre d'un recueil de poésies où il est surtout question de Gloire, de Devoir et d'Âme. Plusieurs n'ont encore jamais vu un écrivain en chair et en os. Le plus souvent, les poètes sont des statues en pierre. Les élèves sont aussi excitées que si l'une de ces statues s'était soudain mise à bouger.

Le Poète, quand il entre dans la salle de classe, a les cheveux tirés vers l'arrière, comme si lui seul luttait contre un vent invisible, et il ne cesse d'éprouver le désordre de sa tempétueuse chevelure en y passant les doigts. Il est bel homme : le front haut, les yeux sombres sous des sourcils fortement arqués, le nez aquilin, les lèvres minces comme il sied à ceux qu'occupent des pensées élevées. Il fait en parlant beaucoup de gestes, dont certains ne sont pas nécessaires.

Il regarde sans le voir le petit groupe de collégiennes rassemblées devant lui, grandes jeunes filles un peu gauches, impressionnées par sa présence, et on les comprend, qui se triturent les doigts et tordent les coins de leur tablier blanc. Elles sont jolies et parfaitement interchangeables. Lui seul est unique. Du coin de l'œil, il aperçoit son reflet dans la fenêtre, se met à parler surtout pour le bénéfice de ce jumeau transparent.

Sa voix profonde est à peine trop forte, comme s'il était debout sur une estrade et cherchait à se faire entendre de spectateurs assis au dernier rang d'une vaste salle. Emily soupire. Elle aussi guette la fenêtre du coin de l'œil. Ce n'est pas son reflet qu'elle y cherche, mais un nid de brindilles où dorment trois œufs bleu pâle.

La poésie est là, elle le sait, plus que dans les paroles grandiloquentes de l'homme, cachée sous la fine coquille, dans le cœur minuscule des créatures à naître.

Et pourtant, en regardant le Poète, beau comme un paon, elle ne peut s'empêcher de frémir un peu.

Dans la pièce commune, les fillettes en chemises de nuit blanches, pâles comme des fantômes, une à une égrènent le chapelet de ce qu'elles feront quand elles seront grandes.

— J'épouserai le médecin du village.

— J'aurai trois enfants, deux garçons et une fille.

— J'habiterai une grande maison blanche aux volets noirs.

— Je lirai un livre par semaine.

— Je resterai étendue toute la journée à manger des sablés et à boire du thé au citron.

— J'aurai un jardin où je ne ferai pousser que des roses.

— Je traverserai l'océan en paquebot.

— Je jouerai du violon, du piano et de la harpe.

Le tour d'Emily est venu. On la regarde. Sous ses cheveux noirs, elle est encore plus diaphane que les autres, presque translucide ; on dirait qu'elle va s'envoler ou prendre feu.

— Je vivrai à Linden.

À la fin du trimestre, Mrs. Lyon fait de nouveau le décompte des âmes. Les jeunes filles aux traits un peu tirés par les longues soirées d'étude sont excitées à la perspective de Noël qui approche. Il flotte dans l'air une frénésie presque palpable, l'énervement des examens de fin d'année, qui fleure la vanille, la laine mouillée et l'encre fraîche.

— Que celles qui ont accueilli le Seigneur dans leur cœur s'asseyent.

Par dizaines, les jeunes filles prennent place sur les longs bancs.

— Que s'asseyent celles qui ont espoir de le recevoir.

Nouvelle vague. Isobel, au côté de son amie, hésite. Elle lui lance un regard suppliant pour l'implorer de se joindre à elle, ou de ne pas lui en vouloir. Mais Emily ne tourne ni le visage ni les yeux. Isobel finit par s'asseoir, vite et gauchement, et Emily Dickinson reste debout, seule. Elle est la dernière des sans-espoir.

Elle voudrait, pourtant, éprouver pour le Créateur céleste cet élan qui lui gonfle le cœur à la vue des outardes, haut dans le ciel, qui passent en cacardant, faisant et défaisant un V qui fait penser aux vagues de la mer. Mais voilà, la plupart des sermons lui semblent sans intérêt, l'idée même de Dieu tantôt l'écrase et tantôt la terrifie. Son cœur n'est pas assez grand, sa pauvre cervelle n'est pas assez profonde pour accueillir le

Mystère, et elle finit par se dire que, sans doute, Dieu n'a guère foi en elle non plus.

Devant Emily, des rangées de têtes soyeuses et proprement coiffées, joliment agrémentées de boucles, de nœuds et de rubans, se pressent ensemble. Il y aura du monde au paradis, elles se marcheront sur les pieds dans leurs bottines vernies.

Sans espoir, sans certitude et sans conviction, Emily reste debout, seule, droite comme un *i,* pleine de tous les possibles.

L'enfer, oui, l'enfer risque d'être beaucoup plus tranquille.

L'automne est passé, bientôt Noël, et je ne suis toujours pas allée à Homestead. Je suis plutôt retournée à notre maison à la plage, dont je m'étonne, chaque fois que nous y entrons, qu'elle existe encore. Un jour, elle sera emportée par les flots. C'est ce qui est arrivé – presque – à l'auberge qui s'élevait sur le terrain d'à côté depuis le début du siècle. Lors d'une tempête particulièrement violente, il y a quarante ans de cela, les vents et les vagues lui ont causé des dommages si importants qu'on a dû la raser. Ce terrain adjacent au nôtre est depuis interdit de construction. On raconte que lors de la même tempête, la mer a soulevé la maison du voisin pour aller la projeter quelques dizaines de mètres plus loin. Les rondins à l'aide desquels avait été construit le *sea wall,* déracinés, flottaient dans la rue comme des reliefs de radeau. J'aime assez l'idée que nous habitons la moitié de l'année dans un bateau dont l'ancre peut se rompre à tout moment.

Chaque fois que nous y allons, je suis frappée de voir combien le ciel est plus grand et plus clair qu'en ville. C'est la proximité de la mer, sans doute, qui lui donne des idées. Chaque fois que nous repartons, j'ai le cœur brisé, et ma fille aussi, qui ne comprend pas pourquoi on ne peut pas habiter toute l'année les pieds dans l'eau, à une encâblure des châteaux de sable.

Pendant ce temps, tous les matins je vais rendre visite à Emily dans ce Homestead inventé d'après les photos vues dans les livres et les descriptions des témoins et des historiens. J'entre sur la pointe des pieds, pour ne pas trouer les planchers de papier, je n'ose pas m'asseoir. Je repars en laissant la porte entrouverte.

Emily rentre à Homestead moins d'un an après son arrivée au séminaire. Ses parents s'inquiètent pour sa santé ; elle ne vient pas à bout d'une infection respiratoire. Elle retrouve la maison de bon cœur.

Il y a tant de choses à faire quand on est une jeune fille à Amherst.

Veiller à sa coiffure, faire et défaire les rouleaux, lisser les boucles.

Préparer le pain.

Ramasser les œufs au poulailler, les brouiller pour le déjeuner.

Rendre visite, selon le jour de la semaine : aux pauvres, aux malades, aux vieillards, aux femmes en relevailles, aux miséreux, aux grabataires, et puis aux amies, bien sûr, qui se comptent par dizaines.

Acheter trois boutons, une livre de sucre, une verge de dentelle, des lacets noirs, un jupon blanc, de la cannelle, une pierre à briquet, un coupon de soie, un flacon d'encre violette.

Broder une douzaine de mouchoirs.

Préparer de grands paniers de poulet frit, de concombres et de pain frais, remplir des bouteilles de limonade, découper un melon d'eau, plier une nappe par-dessus, ne pas oublier d'y glisser fourchettes, couteaux et serviettes en lin, pour aller pique-niquer.

Recevoir les marchands, les amis, les connais-
sances, les visiteurs de passage, les quémandeurs
qui se pressent sur le seuil; acheter aux uns,
accueillir les seconds, saluer les troisièmes, offrir à
boire à ceux-ci, fermer la porte au nez de ceux-là.

Mettre sur le feu les dernières framboises,
avec leur poids en sucre. Laisser mijoter. Pendant
ce temps laver les bocaux à l'eau bouillante. Y
verser la confiture, sceller le tout jusqu'à l'hiver.

Aider Mère à larder le rôti et à éplucher les
légumes, mettre la table, desservir, essuyer la
vaisselle, la ranger dans les armoires en ayant
soin de retourner les verres sur le buvant.

Assister à un concert donné en plein air, où
se réunit toute la jeunesse de la ville.

C'est seulement quand elle ferme derrière elle
la porte de sa chambre et qu'elle entre dans le
silence qu'Emily peut recommencer à entendre
cette voix qui parle et ne parle pas, au creux
de sa tête.

Les arbres du jardin ont perdu leurs feuilles. Tous, sauf un jeune érable, au fond de la cour, qui a conservé intacte sa crinière jaune, à laquelle viennent se réchauffer les rayons du soleil. C'est un petit incendie qui brûle là, frémissant au gré du vent, défiant la froidure qui approche, indifférent au présage silencieux des autres arbres dont les branches décharnées ressemblent à des tisons. Les corbeaux s'en tiennent loin, rien ne vient troubler sa splendeur mordorée. L'érable suspend ses lampions à mi-ciel. Qui a besoin des vitraux d'une église quand il a un tel arbre dans son jardin?

Celui-là sera bien vivant jusqu'à l'hiver. Quand les autres dormiront, ses feuilles continueront de faire briller les étoiles aux longues nuits de décembre.

Orion, elle sait le reconnaître depuis qu'elle est enfant, sa taille fine de sablier, son chien qui court loin devant. Elle a depuis longtemps décidé que ce sera sa prochaine maison.

La Bible est pleine de mystères insondables, l'esprit humain est bien faible, mais il est une chose qu'Emily comprend sans mal: Eden était d'abord un jardin.

L'hiver passe comme un rêve.

Austin, Emily et Lavinia, précédés de leurs trois ombres vacillantes, marchent ensemble dans les allées bordées d'arbres où chantent des oiseaux invisibles. Il flotte dans l'air des odeurs de fleurs blanches, pommes, prunes, fraises. Le temps est d'une douceur exquise. L'herbe est ici plus verte qu'ailleurs, presque émeraude.

La tombe de Sophia est l'une des plus fraîches du cimetière. Ils s'arrêtent devant et baissent la tête. Emily s'agenouille et pose les mains sur la pierre tiède.

Sophia n'est pas ici la plus jeune morte, tant s'en faut. Des douzaines de bébés sont enterrés ici, des fillettes et des garçonnets couchés sous la terre dans leurs plus beaux petits habits, morts de consomption, de grippe, de rougeole, d'anémie, du croup, de peur, de rage ou d'ennui. Leurs fantômes blêmes muchés dans les arbres en fleurs jouent à chat perché. Ils se cachent derrière les fines croix de bois, écartant les bras comme elles, ils courent à toutes jambes dans les allées, en riant silencieusement.

Sans un mot, Austin et Lavinia se remettent à marcher. Ils ont d'autres morts à visiter, l'hiver a été dur. Emily reste longtemps à genoux sur la tombe de son amie. Elle voudrait bien lui parler, mais l'herbe est sourde et muette. Quand Emily finit par se relever, son ombre reste couchée – lorsqu'elle se lève à son tour, plutôt que de la suivre, elle va faire la course avec les petits spectres.

Dans une boîte en marqueterie sur son bureau, Emily conserve ses dents d'enfant, vingt perles baroques. Certains soirs elle se dit que la fillette à qui elles appartenaient va revenir les chercher, fantôme édenté.

~

Elle est trop grande, son cou est trop long, ses membres trop raides. Elle aurait dû naître épouvantail dans un champ, au milieu des étourneaux et des citrouilles. Elle y aurait passé un été langoureux, à se faire tremper par les ondées, à regarder les courges enfler au soleil. Et puis, à l'époque des récoltes, on l'aurait cueillie elle aussi, et on l'aurait jetée au feu. Quelle flambée elle aurait faite, avec ses bras secs, ses jambes raides, ses longs cheveux et son cœur d'allumette.

Un matin, au réveil, Emily découvre une fleur rouge sur son drap. La même tache est sur sa chemise de nuit et sa culotte en coton.

Mère la trouve dans la cuisine, penchée au-dessus du bac à lessive, à frotter frénétiquement le linge dans l'eau savonneuse.

— Qu'est-ce que tu fabriques, Dieu du ciel? Nous ne sommes pas lundi!

— Je suis malade, annonce Emily d'une voix égale. Je saigne. Je vais sans doute mourir.

— Ah, ce n'est que ça, répond la mère sur un ton où le dégoût le dispute au malaise. Tu n'es pas malade. Tu es devenue une femme. Ça nous arrive à toutes.

Emily s'arrête de frotter. Ainsi, toutes les femmes sont malades. Cela explique un certain nombre de choses – pourquoi ce sont les hommes qui exercent les métiers d'avocat, de médecin, de notaire et de pasteur. Le drap se déploie dans le bac comme une créature sous-marine, méduse ou anémone dans l'eau rose. Elle ne sent plus le bout de ses doigts.

— Ça arrive une fois par mois, continue Mère, et ça dure quelques jours.

Soit, songe Emily en se remettant à laver avec une rage renouvelée. Quelques jours par mois je serai une femme. Le reste du temps, j'écrirai.

Austin parti étudier à Harvard, Emily lui écrit tous les jours des lettres qu'elle veut vives, légères, irrésistibles, dans l'espoir de le voir revenir. Mais il ne revient pas. Ses lettres ne sont pas assez convaincantes. Il faudrait pouvoir lui envoyer des papillons.

À la table du souper, la chaise de son frère bien-aimé reste vide. Son absence est un trou dans la poitrine d'Emily. Père a sa mine des jours sombres. La journée a dû être mauvaise au cabinet. Il est assailli par des soucis *importants,* des préoccupations d'homme qui sort en ville, rencontre d'autres hommes et avec eux décide gravement du sort du monde, avec ses femmes, ses enfants, ses chiens, ses chats et toutes ses créatures subalternes.

Mère a l'air absente, comme c'est de plus en plus souvent le cas. Elle porte la fourchette à sa bouche mécaniquement, à la façon d'un automate. Ses yeux sont deux perles de verre. Lavinia jette par terre de petits morceaux de poulet que vient rafler un gros chat roux qu'elle a adopté depuis peu et qui se blottit contre ses jambes en ronronnant.

Emily regarde, stupéfaite, ces étrangers que la vie lui a donnés pour famille. Que n'est-elle pas plutôt née au milieu d'une nichée de merles, elle aurait appris là des choses essentielles – chanter, voler, construire un nid.

La deuxième année à Boston, l'appartement que nous louions occupait les deuxième, troisième et quatrième étages d'une autre de ces hautes maisons victoriennes, laquelle avait été rénovée du sous-sol au grenier avec un tape-à-l'œil typiquement américain : grand îlot de cuisine en granit, lustres dorés, robinetterie coûteuse et d'assez mauvais goût. Mais les pièces étaient agréables et lumineuses, et ma mère disposait d'un étage à elle quand elle venait nous rendre visite.

Ma fille et moi entretemps rentrées à Montréal, mon mari avait dû meubler l'appartement seul, et, pour ce faire, s'était rendu dans un IKEA où il avait acheté, *grosso modo,* un ou plusieurs exemplaires de tout, comme pour remplir une maison de poupée vide : une table, quatre chaises, un berceau, une table à langer, deux lits, deux matelas, des draps, des oreillers, des douillettes, des serviettes, trois commodes, une armoire, quatre tables de chevet, des lampes, une table basse, un paillasson, de la vaisselle, des linges et des chiffons, une cafetière, une théière, un économe, une paire de ciseaux, des couverts, un ouvre-boîte, un fouet, deux planches à découper, un ensemble de casseroles et un de poêles à frire, un tire-bouchon, une bouilloire, une poubelle, trois corbeilles à papier, un canapé, des coussins, trois tapis, un panier à lessive, un balai et un seau, des brosses et des éponges…

Il avait dû faire une demi-douzaine de voyages, en poussant chaque fois deux chariots pleins à ras bord, et la facture finale, dont j'ai préféré ne jamais demander le total, constituait un inventaire hétéroclite qui n'était pas sans rappeler certaines des listes vertigineuses de *La vie mode d'emploi*.

Quand nous sommes arrivés, par une vague de grand froid, la température dans la maison avoisinait les dix degrés. Le propriétaire, qui pour sa part passait l'hiver en Floride, avait oublié de faire installer les contre-fenêtres. Nous sommes partis nous réfugier à l'hôtel le temps qu'on vienne les poser. Du quatrième étage du Fairmont, où nous occupions trois pièces en façade, on voyait la grande place, devant l'église, où exploseraient deux ans plus tard les bombes responsables de la mort de trois coureurs du marathon.

Ces jours-là régnait le calme quasi surnaturel des très grands froids, il n'y avait presque personne dehors. Les rares passants hâtaient le pas, le menton rentré dans leurs foulards. À la télé, on parlait de températures sans précédent, de précipitations hors du commun (une dizaine de centimètres de neige étaient tombés, pas de quoi fouetter un chat à Montréal, mais la ville de Boston ne semblait pas équipée pour pareille accumulation) et l'on montrait en boucle les images, absurdes, d'une déneigeuse ayant pris feu au beau milieu d'une artère importante. Par les fenêtres glacées de nos chambres, Copley Square avait des allures de Kremlin.

Quand nous sommes retournés à l'appartement une fois les contre-fenêtres installées, la température avait monté de quatre ou cinq degrés tout au plus. En soulevant le couvercle des cache-radiateurs en bois, nous avons découvert que les lourds calorifères de fonte avaient été tout bonnement enlevés lors des travaux de rénovation. Apparemment, les minces tuyaux d'eau chaude qui couraient le long des murs étaient censés chauffer à eux seuls les trois étages – sans compter que la chaudière, ne fournissant pas à la tâche, finissait, elle, par surchauffer sporadiquement et s'arrêter tout à fait.

Frissonnante, bonnet sur la tête et bottes aux pieds dans cet appartement au luxe ostentatoire, je me souviens d'avoir contemplé, incrédule, les longues boîtes vides où auraient dû se trouver les radiateurs. Ces gens qui avaient installé des dorures partout et fait percer des puits de lumière avaient *enlevé le chauffage.*

~

L'appartement meublé, il restait les murs, désespérément nus. J'ai commandé en ligne des reproductions de vieilles gravures botaniques (*Brassica, Beta vulgaris, Carota*) à accrocher dans la cuisine et la salle à manger, et quelques affiches colorées, parmi lesquelles une tête d'autruche, fort digne, collier de perles autour du cou, et un Picasso à la composition compliquée, auquel je n'avais pas prêté grande attention jusqu'à ce que Zoé, deux ans, me fasse gravement remarquer : « Le peintre, il s'est dessiné » et que je constate qu'il s'agissait effectivement d'un autoportrait devant chevalet. Cela réussissait presque à donner le change. On pouvait quasiment croire que quelqu'un habitait ici.

Nous avions aussi rapporté de Montréal une immense affiche d'une exposition de Peter Doig au Musée des beaux-arts dont le titre, *Nulle terre étrangère,* me semblait une sorte de promesse ou de programme. Et puis, j'avais l'impression de faire un pied de nez à la ville en étalant en grandes lettres le mot *Montréal* sur le mur de cet appartement bostonnais. L'affiche faisait toutefois près de deux mètres sur deux, et la gommette bleue que j'avais utilisée pour la fixer au plâtre n'adhérait pas suffisamment pour l'y garder collée. L'affiche se détachait toutes les nuits pendant que nous dormions, et je la retrouvais chaque matin enroulée par terre au pied du canapé.

~

Un après-midi, ma mère et moi sommes sorties nous promener avec ma fille chaudement emmitouflée dans sa poussette. Rue Tremont, nous passions devant des boutiques de vins et de mets fins, des restaurants et des bars à la mode. Je regardais les vitrines avec l'impression très nette d'être *dehors,* de plus de façons que j'aurais su l'expliquer. Puis j'ai aperçu, par une porte entrouverte, une série de petits tableaux accrochés à un mur en briques.

Ce n'étaient pas exactement des gravures ni des collages, mais des pages tirées de vieux ouvrages, sur lesquelles l'artiste avait crayonné et dessiné à l'encre noire des signes qui rappelaient les caractères d'un alphabet oublié. Celle qui m'avait attirée montrait une grande sphère coiffant un chapelet de calculs minuscules. Je suis montée à l'étage pour m'enquérir du prix.

La propriétaire voulait bien me vendre le tableau, mais seulement une fois l'exposition terminée. Elle m'a demandé mon numéro de téléphone : je n'en avais pas. Nous sommes convenues que je repasserais dans une dizaine de jours. Avant de sortir, j'ai acheté un grillon ancien en laiton, dont une antenne tombait un peu, et qui était horriblement cher. Je ne cessais, en le retournant entre mes doigts, de me répéter : *le grillon du foyer,* et de penser à ces Chinois qui, dans les livres de contes, gardaient les insectes dans de petites cages en bois.

Lorsque nous avons quitté l'appartement, un an plus tard, pour rentrer à Outremont définitivement, le grillon et la gravure ont été emballés dans des boîtes avec tout le reste et laissés en entreposage. Je ne me souvenais guère des détails de la composition, encore moins du titre de l'œuvre – *True North,* peut-être ? En tout cas, cela avait à voir avec le fait de garder le cap.

Si on demandait à Emily de dessiner une jeune fille, c'est le portrait de Susan qu'elle ferait : jolie, vive, fière et intelligente. Elle est ce qu'Emily aimerait voir en plongeant le regard dans la glace, une sorte de jumelle idéale. Les deux amies s'entendent comme larrons en foire. Ensemble elles se promènent dans les rues familières d'Amherst, cueillent des fleurs au jardin, mettent des confitures en bocal et échangent des histoires qu'elles inventent tour à tour.

Susan a une peau de porcelaine, la bouche ronde et rouge comme une cerise, des boucles folles qui dansent autour de ses joues. Emily se retient pour ne pas les effleurer et la recoiffer doucement comme elle le ferait d'une poupée.

Un après-midi que Sue est venue rendre visite à Emily, toutefois, c'est Austin, tout juste rentré de Harvard, qui lui ouvre la porte. Il la connaît depuis qu'elle est enfant, mais voilà que, pendant son absence, elle a cessé d'être une enfant. Lui, plus vieux de quelques années, sait déjà faire semblant d'être un homme.

— Tiens, bonjour, dit Austin, cherchant désespérément quelque chose à ajouter.

— Je ne savais pas que vous étiez rentré, répond Susan. Vous êtes-vous plu à Boston ?

Elle baisse les yeux, tout en continuant de le regarder entre ses cils.

— C'est une fort belle ville, mais Amherst a des attraits qui lui font défaut.

Cela dit avec un regard appuyé qui fait monter le rose aux joues de la jeune fille.

Quand Emily descend les marches, Susan est assise au salon et Austin lui fait la lecture. Elle est devenue son invitée à lui. Bientôt elle se partagera également entre le frère et la sœur.

～

Quand elle les voit ensemble, quelque chose se serre comme un poing dans sa poitrine.

Son cœur est noir, il abrite un sentiment qui la dévore. Emily est jalouse, et deux fois ; de l'amour qu'Austin porte à Susan, et de celui que Susan porte à Austin en retour. Elle voudrait que ces deux amours lui soient versés à elle, elle se sent doublement flouée, et même triplement, puisqu'elle est aussi trahie par son propre cœur. Son cœur est un morceau de charbon qui aurait brûlé deux fois ; aussi bien dire : un paquet de cendres.

Sur le manteau de la cheminée, les invitations et les faire-part de décès de l'année s'alignent en une guirlande tantôt claire et tantôt sombre. Une à une, ses camarades sont happées par le mariage ou la maladie. En une année, Emily a assisté à tant de noces et à tant de funérailles qu'elle arrive mal à distinguer dans son souvenir toutes ces cérémonies d'adieu où les jeunes filles semblent déguisées, plus tout à fait elles-mêmes.

Les mortes, on ne les voit plus qu'en rêve. Quant à celles qui ont convolé, certaines ont déjà la taille qui s'épaissit, leurs gestes s'alanguissent et elles marchent avec les pieds en dehors, comme si elles tenaient un œuf entre leurs jambes. Bientôt, elles ne se déplaceront plus qu'avec, dans les bras, une petite créature rose et hurlante. Bientôt, elles ne s'appartiendront plus du tout. À cette pensée, Emily frémit. Elle se tourne vers Lavinia, qui coud près de la fenêtre, un chat sur les genoux, et demande :

— De ces deux maux, l'amour et la mort, lequel, toi, choisirais-tu ?

Lavinia hausse les épaules. Elle a, avec un jeune homme des environs, une *entente* qui la satisfait parfaitement et dont elle n'éprouve point le besoin de parler. Elle se lève en annonçant :

— Je vais aller nous faire du thé.

Dans le jardin, déjà, les premières feuilles se fanent.

Les deux sœurs ont passé leur plus belle robe. Elles se sont coiffées chacune devant leur miroir, en apportant un soin particulier à leurs boucles et à leurs rubans. Lavinia s'est pincé les joues et mordu les lèvres pour y faire affluer le sang. Emily est pâle comme neige. Toutes deux sont assises côte à côte sur un banc dans l'église de bois blanc.

La mariée s'avance, timide. Elle n'a pas l'habitude d'être ainsi le centre d'attention. Le marié ne vaut guère mieux, mais il s'efforce de donner le change. Ils se sont vus seuls peut-être vingt fois avant ce jour, se sont écrit des lettres d'une exquise politesse, rendu des visites embarrassées. Ils ont tous les deux vingt et un ans. Lui est avocat, elle est femme ; elle sera donc femme d'avocat. Et mère, bien sûr. Emily voit le destin de la mariée s'étirer devant elle, tracé d'avance, une ombre portée.

Il y a toujours quelque chose à faire à Homestead : équeuter les fraises, polir l'argenterie qui noircit dans les armoires dès qu'on a le dos tourné, ajouter quelques pièces à une courtepointe destinée à un bébé à naître, trier les vêtements à envoyer aux miséreux, payer les fournisseurs, suivre pas à pas le vol d'une abeille au jardin – mais cela, cela est l'œuvre d'une vie.

Emily à la cuisine prépare le pain. La pâte est douce sous ses doigts, tiède et élastique comme une peau amie. Elle pétrit en un long mouvement, d'avant en arrière, cent fois répété. Après la soixante-deuxième pression des paumes sur la table, elle s'interrompt, regarde autour d'elle, saisit le sac de farine vide et en déchire un morceau. Elle sort un bout de crayon de sa poche, note quelques mots – seize, exactement, et cinq tirets longs comme des soupirs – puis elle replie le papier, tout petit, jusqu'à ce qu'il ne prenne pas plus de place qu'un ongle dans la poche de son tablier. Elle recommence à pétrir le pain. Soixante-trois.

Dans le tiroir de son bureau, elle range les poèmes griffonnés à la hâte sur les emballages. Quand elle les ressort, elle les reconnaît à l'odeur : certains fleurent la farine, d'autres exhalent un parfum de poivre ou de noix de pacane. Son préféré est au chocolat.

Pour être certain de faire cent fois, mille fois une promenade plus riche que celle de la veille, il n'est besoin que de se promener tous les jours dans le même jardin.

Un jour, Emily avait aperçu, sous un tas de feuilles, une famille de hérissons comiquement lovés les uns contre les autres – les piquants vers l'extérieur, comme il se doit.

Une autre fois, un merle avait tiré du sol, juste devant elle, un ver de terre si long qu'il s'était rompu. L'oiseau en avait mangé une demie, l'autre avait continué sa moitié de vie.

Un après-midi de printemps, il pleuvait si fort que les gouttes en frappant la terre rebondissaient comme des clous, et on aurait dit que la pluie venait d'en bas.

Pendant des mois, elle avait fait la promenade en compagnie de Sophia, dont le rire s'était élevé, continuait de s'élever, près des pommiers, devant les massifs de zinnias.

Un jour de novembre, la première neige s'était mise à tomber juste au moment où elle tournait le visage vers le ciel, stupéfaite – la première neige était chaque fois la première.

Un matin très tôt, elle avait croisé une pie avec, dans son bec, un bracelet doré.

Ces journées se surimposent comme une série de papiers calques composent une seule image faite de cent couches distinctes : hérissons, merle, pie, neige les accompagnent désormais à chacune de leurs promenades, elle et le souvenir de Sophia.

Pendant qu'Emily marche au jardin, Mère entre dans sa chambre, dont la porte est toujours fermée. Tout est en ordre, la courtepointe bien lissée sur les draps impeccablement tirés, l'oreiller sans un pli, on dirait la cellule d'une moniale.

Mère ouvre les tiroirs à la recherche d'elle ne sait quoi. Elle n'a jamais été curieuse, quel vilain défaut, c'est bien sûr le sens du devoir qui la pousse dans le sanctuaire de sa fille, elle ne le fait qu'à contrecœur, à son corps défendant.

Dans le tiroir du petit bureau s'empile une liasse de papiers couverts de la fine écriture d'Emily, qu'un professeur, au Mount Holyoke, avait jadis comparée aux empreintes laissées par les pattes d'oiseaux préhistoriques conservées au musée de l'établissement, comparaison qui avait fait froncer les sourcils de son époux et qui l'avait, elle, légèrement alarmée. Qu'est-ce que c'était que cette enfant qui se mettait en tête d'écrire à la manière d'un oiseau – mort de surcroît?

Elle saisit le premier papier du bord, un bout de feuille déchiré à la hâte, et le retourne entre ses doigts. D'un côté, elle peut lire la recette du pain d'épice d'Emily – n'est-ce pas celui grâce auquel, l'été précédent, sa fille a remporté les honneurs du concours de boulange qu'organise la ville tous les ans? De l'autre côté, une enfilade de mots sans réel lien les uns avec les autres. Le texte est curieusement hachuré, entrecoupé de longs tirets. Une sorte de liste?

I reckon — When I count at all —
First — Poets — Then the Sun —
Then Summer — Then the Heaven of God —
And then — the List is done —

Elle relit, perplexe, la drôle d'incantation, puis repose soigneusement le bout de papier, côté pain d'épice, avant de sortir sur la pointe des pieds.

1 quart flour
½ cup butter
½ cup cream
1 tablespoon ginger
1 teaspoon soda
1 teaspoon salt
Make up with molasses

Austin et Susan font construire leur maison sur la propriété jouxtant Homestead, à un jet de pierre de la grande demeure. Les voisins cognent à la porte les uns des autres douze fois par jour : pour emprunter un livre, montrer un article, apporter une tarte encore chaude, rendre une loupe, vérifier une recette, rapporter une gravure, demander un renseignement, donner des nouvelles, laisser une partition. De Homestead aux Evergreens court un sentier. Lui aussi est pressé.

~

Emily les observe par les fenêtres du salon, de la salle à manger, où ils se découpent comme dans un théâtre d'ombres chinoises grandeur nature. Elle les suit jusqu'à la chambre à coucher, puis se détourne. Il ne lui plaît pas de les imaginer entre les draps froissés. Elle préfère, en esprit, ranger les marionnettes dans leur boîte où elles restent sagement étendues comme des fleurs mises à sécher.

Le jardin est plus grand que toutes les galaxies réunies, qui ne peuvent contenir tant de fourmis, tant de fleurs et de brins d'herbe. Il est l'univers entier, borné au sud par la route principale, à l'est par la haie de pruche, à l'ouest par les Evergreens et au nord par des générations de Dickinson nés et enterrés sous cette terre, où le premier, Nathaniel, est arrivé en 1630 aux côtés de John Winthrop et de quelque sept cents autres puritains. La flotte comptait onze navires, et l'histoire n'a point retenu le nom de celui à bord duquel Dickinson arrière-grand-père fit le voyage – l'*Arbella,* le *Talbot,* l'*Ambrose,* le *Jewel,* le *Mayflower* (pas celui-là, un autre), le *Whale,* le *Success,* le *Charles,* le *William and Francis,* le *Hopewell* ou le *Trial.* Nul document ne l'atteste, mais Emily sait : laissant à d'autres baleine, joyau, épreuve et espoir, son ancêtre a certainement traversé l'océan sur une coque de fleur.

Lundi, jour de lavage. Emily détache la lessive propre de la corde à linge et plie les morceaux, qu'elle dépose en piles selon qu'il s'agit de linge de maison, des vêtements et sous-vêtements de Mère, de ceux de Lavinia ou des siens.

Soudain, elle entend un soupir.

Dans l'encadrement de la porte se tient Mère, l'air fatigué, comme toujours. Elle secoue la tête.

— Ma pauvre, je t'ai dit cent fois que ce n'est pas comme ça qu'on plie un jupon.

Emily lève la tête. C'est vrai, elle le lui a dit cent fois. Cent fois elle n'a pas écouté. Comment donc faudrait-il s'y prendre ? Elle n'en sait rien. Qu'elle le redise une cent unième fois, elle n'écoutera pas non plus.

— Quelle piètre maîtresse de maison tu aurais été, mon enfant. En vérité, il vaut mieux que tu sois restée vieille fille.

— Vous avez raison. Certaines femmes ne sont pas faites pour être mères.

Mère repart de son pas traînant, ses savates chuintant sur le sol avec un bruit de papier de verre. Emily regarde les piles de vêtements devant elle, résiste à la tentation de chiffonner ceux de Mère, de les fouler aux pieds. Au lieu de quoi elle soulève une de ses propres chemises, gris perle, la roule en boule et la jette par terre. Elle fait de même avec ses mouchoirs roses, ses camisoles écrues, une jupe bordeaux et un jupon bleu, ne gardant que les vêtements uniformément blancs, qu'elle monte à l'étage pour les ranger dans ses tiroirs. Les couleurs restent par terre, vaincues, défaites.

En rêve, elle prend ses vêtements par brassées et les jette par la fenêtre au milieu de la cour, où ils forment une montagne brun, vert, gris, bleunoir et mauve. Les bas s'entortillent autour des jupons comme des boas. Les robes gisent, désarticulées. Les jupes s'ouvrent tels des éventails. Il y a là-dedans des lainages, des cotonnades, du lin et de rêches dentelles de deuil. Quand tout y est, elle sort une allumette et la fait craquer, la tient un instant devant ses yeux avant de la jeter au milieu du tas qui s'embrase aussitôt. Rien ne brûle plus vite que les choses abandonnées.

Devant le bûcher, Emily tend les mains pour se réchauffer les doigts. Dans la fumée qui monte vers le ciel, elle distingue la roide silhouette d'une robe presque neuve et une veste de laine qui l'a tenue au chaud l'hiver précédent.

Perchée sur un nuage, Sophia les attend. Elle n'a pas vieilli. Avec la vivacité de ses quinze ans, elle passe la robe, enfile la veste et se pavane en imitant le pas d'une dame. Le petit fantôme endimanché pouffe de rire tandis que, dans la cour, continue de flamber tout ce qui n'est pas blanc.

Voilà à quoi rêve Emily. Mais en vrai, elle prend délicatement les vêtements qu'elle ne portera plus, les plie avec autant de soin que si elle les rangeait pour la saison, puis les empile dans des cageots qu'ira distribuer Lavinia lors de sa prochaine tournée des bonnes œuvres. Les pauvresses n'ont jamais trop de couleurs.

Dans la chaleur de l'âtre où est suspendue une grande marmite en fonte, Lavinia mesure, pèse, verse, râpe, épluche, épépine, équeute, effeuille, pèle, mélange, infuse, tranche, saupoudre, touille, sale, poivre, sucre, emmielle, épice, cannelle, coriandre et muscade, débite, trempe, tempère, tamise, arrose, fouette, bat, concasse, broie, huile, étuve, écosse, égrappe, décortique, macère, marine, pétrit, façonne, chemise, badigeonne, laque, nappe, enfarine, taille, cisèle, effile, moud, délaye, ébarbe, écale, écaille, décoquille, coupe, découpe, larde, fourre, bride, émince, moule, renverse, racle, égrène, rôtit, saute, rissole, écrase, grille, poche, frit, frémit. Elle n'a jamais rêvé d'être magicienne. Pour quoi faire, quand on peut être sorcière?

～

Lavinia tricote moufles et foulards, elle brode des mouchoirs, reprise des jupes, coud des tabliers. Emily fait l'inverse. Au fur et à mesure que sa sœur les habille, elle se dénude dans le silence de sa chambre. D'abord les idées reçues, les politesses, et puis Dieu et Son cortège, les visites, les obligations et les sourires. Bientôt il ne lui restera plus qu'à sortir de sa peau et à se tenir devant son miroir, toute en dents et en côtes saillantes, un petit squelette blanc comme neige.

À Boston, les habitants de la ville avaient tous l'air de cousins plus ou moins éloignés de John F. Kennedy : même regard franc, même sourire, même désinvolture étudiée. Ils semblaient tous fraîchement diplômés de Harvard et j'aurais pu jurer qu'ils avaient tous passé le week-end *on the Cape* à jouer au ballon avec des essaims d'enfants et à préparer des *clambakes* sur la plage. Dans les commerces ou dans la rue, tous ces Kennedy étaient charmants, uniment souriants et empressés, d'une politesse et d'une affabilité stupéfiantes pour la Montréalaise que j'étais. Je ne pouvais cependant m'empêcher de songer que cette gentillesse était une façade. Ce qu'elle cachait, je ne le saurais jamais. Boston est toujours restée pour moi une ville de papier.

～

Un soir bleu de printemps, à la tombée du jour, nous sommes passés devant l'école de ballet au moment où s'ouvraient les grandes portes. Une nuée de fillettes graciles, chignon haut perché sur la tête, en sont sorties et ont dévalé les marches en riant. On avait tenu ce jour-là les auditions pour le rôle de Clara, dans *Casse-Noisette*. Dehors sur les trottoirs, dans la rue, les attendaient leurs mères tout aussi minces, impeccablement coiffées, bottillons et larges manteaux, grandes écharpes enroulées autour du cou, d'une élégance folle en cette fin de dimanche (comment donc faisaient les Bostoniennes pour être d'une élégance folle à toute heure du jour, en toutes circonstances, je ne l'ai jamais su). Une à une, elles ouvraient les bras. Toutes, de la première à la dernière, elles avaient obtenu le rôle de la mère de la ballerine.

~

À cette époque, nous cherchions une maison au bord de la mer qui ne serait pas trop éloignée de la ville, où nous devions nous établir. Le Cape fut écarté d'emblée : trop coûteux, trop grouillant, envahi par les touristes à la belle saison et par les Bostoniens à la moindre fin de semaine de trois jours. Nous passions depuis quelques années nos étés à Cape Elizabeth, dans le Maine, sur une immense propriété qui comprenait des champs, des forêts, deux minuscules cimetières, un étang, des dunes, des bâtiments du dix-neuvième siècle tombant joliment en ruine, une pension pour pur-sang, une piste d'atterrissage où se posait une poignée de Cessna colorés, un verger, une fermette où l'on élevait des vaches à rayures Galloway, que sais-je encore. L'ensemble faisait des dizaines de kilomètres carrés, l'étendue d'une réserve naturelle, et c'en était une, en quelque sorte, puisque des fenêtres de la maison que nous louions il n'était pas rare d'apercevoir des chevreuils, des familles de dindes ou de pintades, des lapins, des aigles et même, une fois, au détour d'un sentier, un porc-épic gros comme un labrador. Le domaine comptait aussi une plage de sable si blanc qu'il en semblait presque lunaire, doux comme de la farine, plage absolument déserte à laquelle on accédait par un chemin labyrinthique traversant marais, pinèdes et dunes, comme autant de petits royaumes de contes de fées.

Voilà ce que je voyais en esprit quand nous sommes partis ce matin-là en direction de ce qu'à Boston on appelle le North Shore, décidés à longer la côte vers le nord jusqu'à ce que nous trouvions un bord de mer hospitalier. Le temps était gris et froid, les arbres étaient toujours sans feuilles, ç'aurait aussi bien pu être une journée de novembre. Nous avons roulé une trentaine de minutes pour sortir de la ville par l'autoroute 1, qui déroule pendant des kilomètres ses grandes surfaces, ses restaurants thématiques, ses stations-service et ses parkings où, de loin, les voitures serrées font penser à des insectes dont la carapace luit au soleil.

Nous avons continué de monter vers le nord. Les commerces ont bientôt cédé la place à des quartiers pavillonnaires, lesquels ont fait place à d'autres quartiers pavillonnaires, dans une succession apparemment sans fin. Ce n'est pas par coquetterie si j'utilise ce mot plutôt que celui de *banlieues*; sa connotation mi-pénitentiaire mi-hospitalière rend très précisément l'atmosphère qui se dégageait de ce bord de mer où se dressaient, de l'autre côté d'une autoroute, des immeubles d'appartements cubiques et des maisons probablement construites dans les années 1950 sans souci aucun d'architecture ni d'urbanisme. On aurait dit que quelqu'un, à l'aide d'une scie monstrueuse, avait découpé une tranche d'une petite ville industrielle sans âme pour la transplanter là, près des vagues.

Nous sommes sortis de la voiture. Il n'y avait personne nulle part, ni badaud, ni promeneur, pas même un oiseau. Le vent nous fouettait le visage, il flottait dans l'air une odeur de sel, morne et minérale. L'océan s'étalait en courtes vagues hachées, d'un gris de silex. Ce n'était pas vraiment la mer.

Emily des champs n'est jamais allée à la mer. Cette étendue mouvante et bleue l'effraie. Elle est parfaitement à son aise dans le prisme que trace une goutte d'eau, une seule, sur la vitre de sa chambre. Quand elle rêve de l'océan, elle craint d'y tomber comme on bascule en bas d'une falaise. Il y a des risques à côtoyer l'infini.

On raconte qu'elle a commencé par limiter ses visites au village, pour ensuite rester cantonnée au jardin, avant de ne plus guère quitter la maison, puis le deuxième étage, pour finalement élire domicile dans sa chambre, dont elle ne sortait qu'en cas de stricte nécessité. Mais en vérité, elle vivait depuis longtemps dans bien plus petit encore : un bout de papier grand comme la paume.

Cette maison-là, personne ne pourrait la lui enlever.

~

Il lui suffit de coucher quelques phrases, parfois quelques mots sur la feuille pour être soulagée, un instant délivrée de cette urgence sans nom et sans objet qui la consume. Autant de sauvé. Quelle est cette catastrophe à laquelle elle tente d'arracher ces vers, est-ce l'oubli, la mort, le brasier qu'est le monde, elle ne saurait le dire.

Tandis que le pays se déchire dans une guerre fratricide, Emily se découd aussi, point par point. Elle ne sait comment penser cette gigantesque tuerie, et le Dieu qui veille là-dessus, les maisons et les plantations incendiées, les estropiés, les champs où dorment des jeunes hommes beaux comme des poupées.

Ce pays a cessé d'être le sien. Il a cessé d'être, il cherche à éclater, et son cœur, son faible cœur, au milieu de la tourmente, éclate lentement lui aussi tous les soirs, pour se raccommoder tant bien que mal au matin. Elle le sait maintenant, ce n'est pas le foie de Prométhée que venait tous les jours dévorer l'aigle.

～

Sa journée presque finie, Emily sort au jardin. Les derniers rayons viennent se coucher parmi les feuilles, dans un grand désordre de cuivres, comme si les instruments d'un orchestre silencieux jonchaient le sol, abandonnés par les musiciens. Quelque part non loin quelqu'un fait un feu de branchages, la fumée serpente en un mince filet jaunâtre entre les courges du potager, pansues comme des outres orange, abricot, beurre. Des oies passent dans le ciel, trouant le silence de leurs aboiements, criaillant bruyamment leur passage, puis le calme se referme lentement, comme une blessure se cicatrise.

À ce moment précis, debout au milieu de l'automne, Emily est au confluent de deux éternités – l'été disparu, l'hiver à venir. Il lui faut se tenir bien immobile, tête haute, pour ne sombrer ni dans l'un ni dans l'autre, mais continuer d'avancer à pas prudents sur le fil d'un brin d'herbe.

Cent ans après la mort d'Emily Dickinson, un poète montréalais faisait observer :

Poetry is the evidence of a life and not the life itself. It's the ashes of something that's burning well. Sometimes you can confuse yourself and try to create ashes instead of fire.

Tentation, en découvrant le signe ou la trace d'une chose, de chercher à recréer le signe plutôt que la chose et, ce faisant, de sacrifier la proie pour l'ombre. Courir après les *signes* du succès – mais quels sont-ils ? Emily Dickinson, j'en suis certaine, n'a jamais cherché à créer de cendres. Du feu ? Peut-être bien. Mais je crois plutôt que les flammes s'élevaient sur son passage sans qu'elle les remarque, occupée qu'elle était à arroser ses fleurs.

Les jeunes filles du Mount Holyoke sont devenues des femmes. La grande majorité sont mariées, et parmi celles-ci, presque toutes sont mères. D'après ce qu'en voit Emily, aucune n'a réalisé son rêve de jeunesse, annoncé alors qu'elles étaient assises en cercle dans leurs chemises de nuit blanches, avec la vie devant elles. Personne, sauf elle.

Il y a longtemps qu'elle habite sa maison de papier. On ne peut pas avoir à la fois la vie et les livres – à moins de choisir les livres une fois pour toutes et d'y coucher sa vie.

Pas un instant Emily n'envie les citoyennes respectables qui l'entretiennent de la profession de leur époux, de l'aménagement de la nursery, du petit dernier qui tarde à marcher. Ce qu'elle se demande, c'est où sont passées les jeunes filles de ce soir-là, où ont disparu leurs rêves. Comment peut-on changer à ce point et continuer de répondre au même nom?

Il lui vient tout à coup à l'esprit que les jeunes filles sont toujours au Mount Holyoke. Si elle poussait la porte du dortoir, elle les découvrirait, assises en cercle, les yeux brillants dans la circonférence dorée de la lampe.

Les lieux où l'on a vécu, on continue de les habiter longtemps après les avoir quittés. En marchant devant l'appartement qu'occupaient une amie et sa famille, j'entends encore les cris des enfants. Chaque fois que je passe rue Souvenir, je me retiens pour ne pas aller sonner à la porte du logement du deuxième étage où mon mari et moi avons vécu nos cinq premières années de vie commune, avec Fido le tabby, Vendredi le siamois, Victor le grand danois. Une part de moi est absolument certaine que ce serait un Fred de vingt-cinq ans, visage plus rond, cheveux sans le moindre fil d'argent, qui viendrait répondre. Une autre version de nous continue d'habiter avec Victor le chien un cottage du Inn by the Sea, à Cape Elizabeth. Il y est en ce moment même, couché sur le tapis, le museau entre ses énormes pattes. Il nous attend. Ces différents nous dans différents lieux existent tous à la fois.

Emily a passé sa petite enfance et sa vie adulte à Homestead, dont le nom laisse deviner qu'il s'agissait de l'incarnation même de ce qu'est un *home* – plus qu'une maison, un foyer ; plus qu'un foyer, le feu qui y brûle. Et comment se fait-il qu'en français nous n'ayons pas de meilleur mot pour nommer cela qui est le lieu non pas où l'on habite, mais celui où l'on vit – plus que le lieu, la vie elle-même qui y palpite ?

À cette époque, il vient encore beaucoup de visite à Homestead et aux Evergreens. La maison attire la meilleure société d'Amherst et d'ailleurs, des avocats, des hommes d'affaires prospères, des pasteurs, voire des éditeurs, qui viennent y jouer du piano, y chanter et y causer gaiement.

Seul, Samuel Bowles aurait été un homme comme les autres (pour peu que les autres eussent aussi été propriétaires d'un journal de l'importance du *Springfield Republican*). Mais ce n'était pas le journal qui lui donnait son prix, c'était d'être l'époux de Mary. Pareillement, celle-ci tirait sa valeur d'être la femme de son brillant mari. Ils deviennent rapidement les habitués des deux maisons. Emily, ainsi qu'elle le fait avec ceux qu'elle aime ou dont elle voudrait se faire aimer, se met bientôt à leur envoyer des lettres vives, tendres et échevelées comme de jeunes chiots.

En écrivant à l'un ou à l'autre (ou à l'un derrière l'autre), Emily écrit à un seul être multiple, à la fois acteur et témoin, dédoublement familier pour elle qui est constamment scindée en deux, à tenter de vivre et d'écrire la vie en même temps.

Mari et femme apparaissent chacun agrandi, sublimé par le regard de l'autre, qui agit à la manière d'un prisme magnifiant. La présence de ce troisième pôle dans les conversations épistolaires a quelque chose de rassurant, comme un garde-fou permet de s'approcher de l'abîme sans crainte d'y tomber. Ce destinataire fantôme est le destinataire réel de la plupart des lettres qu'Emily écrit fiévreusement, à la lueur de sa lampe, s'efforçant d'être suffisamment spirituelle pour deux, cherchant à charmer chacun à travers l'autre. C'est à la fois le double et la moitié d'un amour.

Où qu'elle aille, Lavinia est suivie par une ribambelle de chats. Ce matin-là, ils étaient trois : un gros matou orange et blanc, un jeune chat noir qu'Emily voyait pour la première fois, et une chatte tigrée dont le ventre gonflé laissait deviner qu'elle allait bientôt mettre bas.

Il y a toujours à la cuisine une soucoupe de lait frais où tous les chats du voisinage viennent boire, après quoi ils se frottent dans ses jupes. On jurerait que, de contentement, elle ronronne avec eux. Carlo, le chien d'Emily, prend plaisir à laper le lait d'un seul coup de langue devant les chatons scandalisés par de si mauvaises manières.

Le chien dort au pied de son lit. De temps en temps, ses babines tressaillent. En rêve, il fait la chasse aux créatures des cauchemars. Emily pose ses pieds glacés contre le flanc chaud, elle enfonce ses orteils dans les poils drus. Pourquoi diable aurait-elle besoin d'un mari ?

Lavinia dort entourée de ses matous, petits et grands. Elle n'a pas de préféré. En chacun, elle aime la douce *idée* de chat, mille fois déclinée.

Dans la baignoire en cuivre, ses cheveux flottent en mèches d'algues noires. Ses bras, ses jambes trop minces sont de longues anguilles blanches. Elle s'enfonce sous l'eau tiède presque imperceptiblement, un millimètre à la fois, jusqu'à avoir le visage recouvert d'une épaisseur transparente qui ressemble à de la glace. Elle garde les yeux ouverts.

À quarante ans passés, elle est bréhaigne, *barren,* comme on le dit de la terre qui ne produit pas, des poissons qui ne pondent pas d'œufs et de toutes ces choses qui, n'ayant d'autres vies que la leur, ne survivront pas à leur propre mort. *Barren,* comme *bare,* nue, avec ses seins flasques, petites poches vides veinées de bleu, son ventre dont la peau se distend même s'il n'a jamais rien porté, rien contenu, rien enceint, ses jambes et son sexe qui n'ont depuis longtemps reçu d'autres caresses que celles des draps, quand elle dort.

La femme bréhaigne est nue, aussi dépouillée, dépourvue qu'un arbre en hiver. Emily n'est pas dupe. Ses poèmes ne sont pas des enfants de papier. Ce sont, tout au plus, des flocons de neige.

Le temps ne passe pas, il est immobile. Chaque jour dure une éternité, une vie entière dans les heures entre le lever et le coucher du soleil. Chaque nuit est une petite mort. Elle se réveille pourtant le lendemain, étonnée d'être là. Une nouvelle chance lui est donnée, mais de quoi?

Elle se lève, va à la fenêtre. Le temps est brouillé. Il tombe une très fine pluie qui laisse sur les feuilles une pellicule vernie. De la brume monte du jardin, et les arbres se dessinent en silhouettes fantomatiques. Elle frissonne, ramène son châle autour de ses épaules, rallume le feu qui s'est éteint pendant la nuit. Le bois sec crépite, les étincelles montent dans la cheminée. Elle ouvre machinalement le tiroir de son bureau, en sort un bout de papier qu'elle porte à ses narines. Le poème sent le clou de girofle.

~

Elle a besoin de si peu de choses qu'elle pourrait aussi bien être morte – ou n'avoir jamais existé.

En écrivant, elle s'efface. Elle disparaît derrière le brin d'herbe que, sans elle, on n'aurait jamais vu. Elle n'écrit pas pour s'*exprimer,* quelle horreur, ce mot lui rappelle celui d'*expectorer,* dans les deux cas le résultat ne peut être qu'un phlegme gluant, plein de glaires ; elle n'écrit pas pour se distinguer. Elle écrit pour témoigner : ici a vécu une fleur, trois jours de juillet de l'an 18**, tuée par une ondée un matin. Chaque poème est un minuscule tombeau élevé à la mémoire de l'invisible.

Elle est de chair, de sang et d'encre. C'est l'encre qui coule dans ses veines, les mots qu'elle trace sont rouge framboise, puisés à même ces fines lignes bleues qui palpitent sous la peau.

Elle se rappelle ce poète venu en visite au Mount Holyoke, qui expliquait vouloir transcrire sur la page les émotions qui l'habitaient – être exécrable persuadé que son paysage intérieur était à ce point intéressant qu'il conviait les autres à s'y balader pour contempler les plates-bandes et les massifs.

Il était non seulement incapable de poésie véritable mais, heureux innocent, incapable de voir qu'il en était incapable, semblable à un sourd de naissance qui, ayant vu quelqu'un taper sur le clavier d'un piano, se serait avisé de composer une sonate en appuyant au petit bonheur sur les touches noires et blanches selon une succession plaisante à son œil. Jamais il ne saurait ce qu'il ne savait pas.

Or cet homme avait des idées, cela se voyait tout de suite, et celles-ci lui importaient plus que tout.

Il les nourrissait, les organisait, les cultivait, en humait le parfum et pressait les autres de faire de même. Emily écrit sur le monde qu'elle habite, tout en sachant qu'il serait plus beau si personne ne l'habitait.

Auteur, du latin *augere,* augmenter. L'auteur est celui qui ajoute. Au jardin de fleurs qui pousse dehors fait écho, de l'autre côté de la fenêtre, le jardin de papier que cultive Emily l'hiver durant.

Assise à sa table devant la fenêtre, elle transcrit le jardin évanoui qu'elle seule continue de voir sous la neige, un texte à demi effacé qu'elle déchiffre les yeux plissés avant qu'il ne disparaisse tout à fait. Le jour baisse vite. Dès trois heures, les ombres se couchent par terre pour dormir, le parc tout entier est une forêt allongée, aplatie entre les pages d'un herbier géant. Elle continue de tremper sa plume dans l'encrier même si elle ne distingue plus guère que des silhouettes dedans comme dehors.

De la cuisine montent l'odeur de la soupe et le tintement des couverts. Même au milieu de toute cette blancheur il faut manger. Parmi les lys et les zinnias inventés font irruption un contingent de navets hirsutes, un bataillon de patates jaunes, menés par un chou qui n'a plus toute sa tête. Il n'en faut pas davantage pour que le jardin de papier se mette à pousser à tort et à travers, se remplisse d'herbes folles, échevelées, dont Emily fait des couronnes plutôt que de les raturer.

Écrire, *scribere,* creuser le sol, fouiller, rayer. Elle lève la tête pour apercevoir les arbres dehors et ne les voit plus. Dans l'obscurité, la fenêtre s'est changée en miroir.

Auteur, *auctor,* signifie aussi : Dieu. Elle ne sait pas ce que ça veut dire. Qui a besoin de Dieu quand il y a les abeilles ?

Comment les autres font-ils pour vaquer à leurs affaires, petites ou grandes, occuper des emplois, coudre des robes, avoir des enfants, assister à des pique-niques ? Comment font-ils pour s'arracher à ce ravissement qui s'empare d'elle quand elle regarde par la fenêtre ? Leurs yeux ne voient-ils pas la même chose que les siens ? Ou bien c'est que leurs fenêtres ne sont pas aussi nettes.

Assises à la cuisine, Emily et Lavinia écossent des petits pois qui roulent comme des billes entre leurs doigts. D'un côté, un bol en grès plein de menues graines rondes et vertes, de l'autre, les fèves gonflées. Les cosses vides s'amoncellent sur un linge propre.

— Si de toute ma vie je ne pouvais plus manger qu'un seul légume, dit tout à coup Lavinia, ce seraient ces petits pois.

Emily acquiesce – non pas qu'elle aime particulièrement les pois, mais l'idée de ne plus manger qu'une seule chose *de toute sa vie,* cette idée lui semble prodigieusement reposante.

Tous s'entendent pour dire qu'Emily Dickinson n'avait qu'une sœur, Lavinia, dite Vinnie, née deux ans après son aînée. Mais en réalité, elle a trois autres sœurs, cachées dans sa chambre : Anne, Charlotte, Emily, comme elle. Les Brontë y vivent en bonne harmonie avec le reste de la famille d'Emily : Browning, Emerson, Thoreau.

Emily, qui n'a jamais été à la messe, s'agenouille tous les matins devant les fleurs. Elle n'aime pas désherber, les plantes qu'on dit mauvaises sont aussi bonnes que les autres, et elle les laisse volontiers pousser au milieu de celles qu'elle a plantées. Le jardin ne lui appartient qu'à moitié ; l'autre demie est le fruit des abeilles.

Emily salue les plantes par leur nom, comme si elle appelait des jeunes filles à mi-voix : Iris, Rosa Carolina, Prunelle, Marijuana, Gilia, Campanule. Les fleurs lui répondent en lui donnant son nom à elle : Emily, *aemula,* rivale. De tous les lys, elle est le plus blanc. Emily, l'absente de tous banquets.

Il y a à Scarborough, au bord de l'océan Atlantique, un chemin parmi les plus beaux de toute la Nouvelle-Angleterre. Directement face à l'océan, les grandes demeures qui s'y élèvent sont lumineuses, recouvertes de bardeaux de cèdre, percées de fenêtres où se reflètent le ciel et la mer. Devant elles s'étire l'océan au-delà des dunes chevelues et de la plage au sable si fin qu'on dirait du sucre blond; derrière, passé le chemin, il n'y a que des bois et des marécages. Ces maisons se dressent exactement sur la frontière entre deux territoires sauvages, ce qui, d'une certaine façon, est la définition même d'une maison : un havre, *havene,* un port et un refuge.

Jamais je ne pourrais habiter là. Le chemin a pour nom : Massacre Lane. Ce n'est pas que je craigne le fantôme de Richard «Crazy Eye» Stonewall qui, dit-on, hante les parages depuis qu'il y a été enseveli en 1697, et qui cherche encore à se venger des Indiens qui avaient massacré sa femme et son nourrisson quelques années plus tôt. Je ne redoute pas davantage les spectres des dizaines de colons qui ont essayé, sans succès, de défendre la région de Prouts Neck contre les attaques de ces mêmes Indiens, et dont dix-huit furent abattus en 1703. Mais je ne pourrais pas lire le mot *massacre* dix fois par jour, sur les enveloppes envoyées ou reçues, sur les formulaires, les bons de livraison et les cartes routières. Je ne pourrais pas le dire aux amis et aux parents qui viennent nous rendre visite, l'épeler aux fournisseurs, le répéter dix fois par semaine. Bref, apparemment, ce qui me trouble plus que le massacre, ou les massacres, c'est leur nom qui à la fois les remplace (c'est-à-dire, d'une certaine façon, les annule) et les multiplie (c'est-à-dire, d'une autre façon, les perpétue). Toutes les rues sont d'abord, pour moi, des rues de papier.

La maison que nous avons trouvée, non loin de là, elle aussi debout face à l'océan, est située dans un village où les rues ont pour noms : Shell, Pearl, Shipwreck, Vesper, Morning.

J'ai su en passant la porte pour la première fois que nous étions arrivés chez nous. Aussitôt entrés, on découvre la mer et le ciel par les grandes fenêtres de la salle à manger. De la chambre à l'étage, on embrasse la même vue : le sable, l'eau puis le ciel avec, à droite, comme dans une étude de perspective, les maisons en bardeaux de cèdre biscornues de Bay Street qui rétrécissent avec la distance. À peine visible sur l'horizon, passé Prouts Neck, se dessine le profil bas de Biddeford. On a l'impression de contempler la côte depuis les hauteurs d'un phare.

$\sim$

Nous avons fait livrer les meubles et les boîtes contenant les effets achetés pour l'appartement de Boston et laissés en entreposage pendant deux ans après que nous fûmes rentrés à Outremont pour de bon.

Je déballais chaque objet avec une sorte d'étonnement, comme s'il appartenait à des inconnus – nous avions eu, pendant quelques mois, cette autre vie mystérieuse. Dans un carton se trouvait une poubelle à couches ; dans un autre, il y avait un nécessaire pour laver des biberons, brosses, séchoir, savon. J'ai regardé ma fille qui jouait parmi les boîtes encombrant le salon. Elle avait trois ans. Le bébé à qui avaient servi ces objets n'existait plus.

Le grillon et le petit tableau étaient dans le dernier carton. La gravure ne s'intitulait pas *True North,* comme je l'avais cru, mais *True Azimuth,* ce qui n'est pas la même chose, l'azimut correspondant à l'angle mesuré entre la direction d'un objet donné et une direction de référence, le plus souvent le nord magnétique. C'est par essence une différence, une ligne oblique, qui n'existe que par rapport à une autre chose dont elle s'éloigne.

Tell all the truth but tell it slant, écrivait Emily Dickinson, qui elle aussi haïssait les voyages.

J'ai placé le grillon au-dessus du foyer. Il avait fini par trouver sa place.

Les meubles d'acajou sont de bons compagnons : solides, fidèles, silencieux.

Sur les murs grimpent des roses qui sont de pauvres cousines de celles du jardin – il leur manque le parfum, le velours des pétales, la rosée du matin. Et puis, le peintre a oublié de leur faire des épines.

Emily fait le tour des fenêtres pour s'assurer qu'elles sont tout juste entrouvertes – de quoi passer deux doigts, pas trois, de quoi laisser entrer l'odeur du muguet, mais pas celle de la moufette. Elle tire à peine les rideaux. La lune est presque pleine, une pièce d'argent aux trois quarts ancienne.

Elle fait sortir un des chats de Lavinia qui se prélassait sur une chaise dans la cuisine, tout près du beurrier. Elle redresse les livres à tranche dorée sur le manteau de la cheminée, s'agenouille pour vérifier que les braises sont tièdes.

Sur sa table de chevet, elle dépose sa lampe à huile, une carafe d'eau, les poésies d'Emerson. D'un coup d'orteil, elle tâte sous le lit le pot de chambre. La porte fermée, l'univers est clos, étanche. Elle est prête à appareiller.

～

Quand elle se lève la nuit pour aller à la fenêtre, les lattes du plancher craquent faiblement sous ses pieds. Elle connaît chacune par son nom : *do, ré, mi, fa, sol, la, si, do* – C, D, E, F, G, A, B, C.

Elle se réveille souvent pour écrire les lettres qu'elle n'a pas pu rédiger pendant la journée. Elle compose des missives de dix, huit, sept lignes, infiniment légères, comme si elles étaient destinées à voyager accrochées à la patte d'un moineau.

La plume d'oie qui gratte le papier fait penser à une souris occupée à écaler une noix pour arriver à l'amande. Ce bruit tient compagnie à la lueur de la lampe, quand la maison dort, dans l'éclipse qui sépare le soir du matin. Emily ne se sent jamais moins seule que durant ces heures qu'elle passe, penchée sur le papier, le souvenir de l'oie à la main, la souris imaginaire dans un coin, avec, dans sa lampe, l'huile tirée d'une baleine immense, et l'encre – l'encre qui vient du ventre fabuleux d'une créature sous-marine à huit bras. Avant d'avoir rien écrit, l'encre se souvient déjà de merveilles.

De son vivant, seule une poignée de ses poèmes seront publiés, le plus souvent de façon anonyme, après avoir été très lourdement remaniés. Elle a depuis longtemps décidé qu'écrire est non seulement un verbe intransitif, mais qu'il porte sa fin en soi. Pourquoi publier, si ce n'est pour la vilaine satisfaction de découvrir son nom imprimé dans un livre ou dans le journal, à l'aide des mêmes caractères de plomb qui y ont épelé ceux de Byron, de Shakespeare. Pour le vain plaisir de savoir que des centaines ou des milliers de paires d'yeux inconnus se posent, avec indifférence ou curiosité, sur vos mots, lesquels ne peuvent ressortir de cette épreuve que souillés – ou usés.

Écrit-on jamais pour les autres, ces êtres réels qu'Emily aperçoit, par sa fenêtre, en train de vaquer à leurs occupations : conduire des attelages, conclure des contrats, vendre des vaches et solder des étoffes ? Ou bien n'écrit-on pas toujours pour une certaine idée de l'Autre, désincarnée et souveraine, que l'âme échafaude, à la manière d'un miroir grossissant, en se rêvant elle-même ?

Ce Lecteur, Emily se l'imagine depuis longtemps, comme la plupart des jeunes filles du Mount Holyoke s'imaginaient des princes charmants ou de riches fiancés. Elle voit ce Maître supérieur à elle en tout point : plus grand, plus noble, plus éclairé. Lui seul sait apprécier sa poésie à sa juste valeur. Il se trouve qu'il est rédacteur en chef d'une revue qui justement publie de la poésie ? Qu'importe.

En attendant, ses poèmes griffonnés sur des emballages, des cartons, des enveloppes continuent de s'accumuler dans ses tiroirs, où ils forment de fragiles châteaux de papier.

— Emily! Une surprise pour toi!

Au ton de la voix de Lavinia, elle devine que ce doit être une lettre, peut-être accompagnée d'un colis – un livre?

Le cœur battant, elle sort de sa chambre, en trois pas elle est en haut des marches, quand elle entend la voix de l'invité.

— On est venu te voir! poursuit Lavinia.

Son cœur se serre puis s'affole comme sous l'effet d'une trahison. C'est effectivement une surprise, mais détestable. Alors qu'elle voulait, seule dans le silence de sa chambre, ouvrir délicatement l'enveloppe, sortir le papier, le humer avant de le déplier puis d'y poser les yeux, parcourir les mots une fois, deux fois, les relire dans le désordre, s'allonger en tenant la lettre contre sa poitrine tandis que les mots continueraient de voltiger derrière ses paupières, la voilà obligée de faire face à un être de chair et d'os, ses bottes sans doute encore pleines de la boue du chemin, devant qui il faudra sourire, poser des questions, faire mine d'écouter les réponses, tout cela en attendant le bonheur de se retrouver enfin seule pour lui écrire ou relire l'une de ses anciennes missives. Sur la pointe des pieds, elle retourne vers sa chambre à reculons, en prenant soin de ne pas faire grincer les lattes. Elle ferme la porte derrière elle. Carlo lève les yeux vers sa maîtresse. Les chiens ont sur les hommes cet avantage immense, impossible à rattraper: ils ne parlent pas.

— J'ai beaucoup apprécié vos… petits textes, commence celui-ci, à qui elle a fait l'erreur – elle le sait dès qu'il ouvre la bouche, qu'il a grande et fort pourvue en dents – d'envoyer quelques poèmes dans l'espoir non pas qu'il les publie, mais qu'il les perce à jour.

Elle hoche la tête prudemment, un geste aussi dénué de signification que les paroles polies que l'homme lui adresse. Comment a-t-elle pu penser que celui-là saurait la lire? Et surtout, comment se fait-il que les hommes soient à ce point, toujours, en deçà de ce que laissent supposer leurs photographies, leurs articles, leurs lettres? Emily pourtant connaît la réponse à cette question: c'est pour les êtres de papier qu'elle se prend d'affection, et ils n'ont rien à voir avec les citoyens respectables qu'elle découvre ensuite, des hommes avec des chaussures, des moustaches, de l'asthme, des relents d'ail et des bretelles. Elle-même depuis des années s'efforce de se transformer en créature de papier – cesser de manger, de suer, de saigner, n'être plus que celle qui lit et qui écrit.

Devant elle, l'homme se racle la gorge. Est-il trop tôt pour le remercier de sa visite et tourner les talons?

— Il y a là, oui, des images fort intéressantes, quoique parfois, comment dire…

Elle voudrait presque venir à son aide tellement il semble mal à l'aise, et pourtant, elle bout de colère, non pas tant contre lui que contre elle-même, qui s'est laissée aller une nouvelle fois, stupidement, à espérer.

— … un peu obscures, ou compliquées? Une jeune femme comme vous a-t-elle vraiment besoin de convoquer un vocabulaire scientifique ? Qu'est-ce que cela veut dire, au juste, la *circonférence* ? Faut-il vraiment avoir recours aux *axiomes,* à la *philologie* ? Ne vaudrait-il pas mieux parler de sentiments plutôt que de mathématiques ?

Le silence d'Emily semble l'enhardir. Il poursuit, d'un ton qu'il veut bonhomme :

— Et puis, au fond, pourquoi appeler ces textes des poèmes s'ils sont écrits en prose ?

C'en est trop. Emily a un sursaut d'horreur.

— Qu'est-ce qui vous fait dire cela ? demande-t-elle d'une voix posée.

Embarrassé, il gratte son menton où poussent des crins drus. Comment, comment peut-elle chaque fois oublier que les hommes sont des animaux à poils ?

— Eh bien, tout simplement : ça ne rime pas.

C'est donc ça. En un éclair, Emily revoit une leçon de Mrs. Lyon sur les rimes riches, les rimes parfaites, les rimes plates. *Cat, hat. Fish, dish. Love, dove.* Quelles bêtises.

Elle qui n'a rien à faire de la richesse, de la perfection et des platitudes ne connaît de rimes autres qu'obliques ou suspendues – comme il se doit.

Elle se lève posément, fait un signe du menton au visiteur, et s'en va. Ça ne rime pas. Elle ne peut s'empêcher de sourire.

Le monde. Le monde est petit comme une orange. Il est incroyablement compliqué et d'une absolue simplicité. Le monde peut être remplacé, recréé, anéanti par les mots. Il existe de l'autre côté de la fenêtre, ce qui est une autre façon de dire qu'il n'existe pas. Ce qui existe : la flamme de la bougie, le chien à ses pieds, les draps de coton, les fleurs de jasmin aplaties entre les pages des dictionnaires, qui dorment entre le mot *jardin* et le mot *journée,* les braises dans l'âtre, les poèmes qui palpitent dans le tiroir. Le monde est noir et la chambre est blanche. Ce sont les poèmes qui l'éclairent.

La couturière sonne à la porte à l'heure dite. Elle l'attendait, et n'a que quelques pas à faire pour aller répondre. Le thé est déjà sur la table. Les deux femmes échangent quelques politesses, les vivants, les morts, les naissants, il y a des mois qu'elles ne se sont vues. Puis elles montent à l'étage.

— Vous voudrez peut-être quelque chose de différent, cette année? demande la couturière en disposant son galon, ses étoffes, un bout de craie, un crayon et du papier de soie.

— Non. La même chose exactement.

La couturière lève la tête. Sa cliente est en train de se dévêtir derrière un paravent japonais où l'on voit des paons faisant la roue. Elle n'aperçoit plus que le sommet de sa tête et ses bras pâles qui s'étirent pour soulever une chemise.

— Un peu de couleur, peut-être? insiste-t-elle.

La femme sort de derrière le paravent en corset et en jupon. La couturière se hâte de prendre les mesures – épaules, buste, taille, hanches, bras, dos –, semblables à celles de l'an passé.

— Blanc seulement. Trois fois la même robe.

— En blanc les trois fois?

La couturière semble s'y résoudre à regret, comme si on lui demandait de faire quelque chose de contraire à son art.

— En blanc les trois fois, confirme la femme, qui est déjà en train de se rhabiller.

La couturière soupire en rangeant ses accessoires. Elle prend une gorgée de thé qui ne la réchauffe guère. Lavinia la reconduit jusqu'à la porte d'entrée tandis que, à l'étage, Emily n'a pas quitté sa chambre. Les robes seront un peu grandes à la poitrine, les manches seront légèrement trop courtes, car sa sœur n'a pas exactement les mêmes mensurations qu'elle.

Si seulement elle pouvait aussi la faire aimer à sa place, alors elle serait tout à fait libre.

Les arbres se tordent dans le vent comme des flammes. Emily aimerait bien y voir la main immense de Dieu, qui daigne un instant Se pencher vers la Terre. Mais quand elle lève les yeux au ciel, elle ne voit que la nuit qui arrive.

Il lui faut un certain temps pour constater que les choses commencent à s'obscurcir, un temps plus long pour accepter que c'est à cause de ses yeux défaillants, et non pas le fruit de son imagination ou le fait des lampes trop faibles. Mais la douleur, indéniable, la tient réveillée jusqu'au matin.

Le médecin d'Amherst l'adresse à un spécialiste, un ophtalmologiste de Boston, la capitale, à quelque six heures de chez elle, au bout du monde.

∼

Dans la salle adjacente au cabinet du médecin attendent trois dames de la bonne société bostonienne, si semblables qu'on dirait des cousines, sinon des sœurs, avec leur mâchoire carrée, leurs yeux bleus, leur sourire poli et leur corsage irréprochable. Emily, qui se sent partout étrangère dans cette ville, a plus que jamais l'impression d'être un chien parmi les chats.

La porte s'ouvre, son tour arrive. Le médecin est de courte taille, il a des lunettes rondes, le crâne dégarni, un petit ventre proéminent. Il est proprement terrifiant.

Il examine Emily, l'interroge, l'ausculte. Elle tente de son mieux de décrire la douleur. Les mots lui manquent. Il lui braque une lumière dans les yeux, lui demande de lire des rangées de lettres sans signification, de plus en plus petites, puis il l'examine à nouveau, sans parler, cette fois. Elle attend son verdict comme la lame de la guillotine.

— Je ne crois pas… commence-t-il, puis il toussote. Je ne crois pas, reprend-il, que vous allez perdre la vue.

Emily respire.

— Mais le mal est très avancé, poursuit le médecin, et vos yeux ont grand besoin de repos. Si vous voulez avoir quelque espoir de guérison, il vous faut abandonner la lecture et l'écriture pendant deux, voire trois mois.

Emily cesse de respirer. On ne lui a rendu la vue que pour la priver d'air.

Mais il n'a pas fini :

— Je ne vous recommande pas non plus de voyager au cours de cette période. Il serait plus sage pour vous de rester à Boston.

Elle rentre chez ses cousines la mort dans l'âme, en se faisant violence pour ne pas lire ce qui est écrit sur les enseignes et aux vitrines des magasins, pour s'exercer à vivre privée de mots.

Loin de chez elle, sans livres, Emily passe deux mois dans le noir – un double exil.

Quand elle rentre enfin à Amherst, elle monte les marches quatre à quatre, ferme derrière elle la porte de sa chambre, ouvre les *Sonnets* de Shakespeare. Alors enfin elle est chez elle.

Enfant, elle était contente de coucher des fleurs dans les livres écrits par d'autres. Adulte, elle passe à plus difficile : les oiseaux et les nuages qui, tracés sur une page blanche, menacent sans cesse de s'envoler, vous laissant tout seul avec votre désir.

Un jour, elle se décide à glisser quelques-uns de ses poèmes dans une enveloppe adressée à Thomas Wentworth Higginson, accompagnés de cette prière : *Êtes-vous trop occupé pour me dire si mes poèmes sont vivants?*

On imagine l'homme en train de les déchiffrer avec stupéfaction, puis de peser sa réponse soigneusement. Quelques semaines plus tard, il lui écrit à son tour et lui demande quels sont ses compagnons. Emily répond : *Un chien aussi grand que moi, que m'a donné mon père; les collines.* Et, bien sûr : *L'Apocalypse.*

«Ne publiez pas», lui dit Higginson après avoir lu sa poésie, et ce conseil, qui en atterrerait plusieurs, la réjouit. Publier, pour quoi faire. Elle ne veut pas, n'a jamais voulu faire de livres, qui sont trop souvent choses lourdes et immuables puant le cigare et le renfermé. Ses quelques poèmes offerts au monde, elle les a laissés aux feuilles légères des journaux, qui ne vivent qu'un jour, des éphémères.

Elle écrit sur du papier, mais c'est faute de pouvoir confectionner un album assez grand pour abriter les giboulées du printemps et les grands vents d'automne – faute de pouvoir faire un herbier de neige. Elle rêve de poèmes écrits avec des insectes, qui se mettraient en marche d'eux-mêmes sur leurs longues pattes, leurs carapaces brillantes comme autant d'armures contre les bien-pensants et ces dames extraordinairement comme il faut qui se mettent à crier en apercevant une coccinelle. Sans doute la coccinelle crie-t-elle aussi devant ces tours de jupons surmontées d'ombrelles, mais on ne l'entend pas : c'est elle, la véritable lady.

Elle rêve de poèmes qu'on lirait dans les astres si enfin on apprenait le langage de leurs obscures constellations. Aux odes compliquées des circuits et des circonférences mathématiques. Aux sonnets dorés que tracent les abeilles dans le miel. À ceux qu'aurait composés Notre-Seigneur pour Se délasser, au septième jour de la Création, si seulement Il existait.

«Ne publiez pas.» Vos écrits sont trop précieux pour cela. Gardez-les pour vous seule. Et pour moi, peut-être.

Une créature toute menue apparaît. Elle semble flotter à quelques pouces au-dessus du sol. L'homme se demande un instant si elle n'est pas montée sur roulettes pour avancer si rapidement et sans heurt. Tout habillée de blanc, elle a le visage fin, les yeux étincelants, les mouvements un peu saccadés. Elle tient dans chaque main un lys blanc, qu'elle lui offre en soufflant :

— En guise de présentation.

Il ne sait que répondre et reste là, les grandes fleurs entre les doigts, tandis qu'elle le regarde, le visage légèrement penché de côté, comme un oiseau prêt à s'envoler. Il s'incline. Quand il se redresse, elle a disparu.

Le soir même, il décrira en détail la rencontre à son épouse dans une lettre. Elle lui reprochera de n'avoir pas gardé les fleurs.

~

Higginson est un sage. Trop souvent, les gens sages l'insupportent. Emily leur préfère de loin la compagnie des papillons, des sauterelles et des livres – qui sont aussi des sages, mais tranquilles. Ceux-là ne vous accablent pas de leur sagesse, ils attendent que vous veniez la cueillir vous-même lorsque vous êtes mûr.

Ces poèmes qu'elle appelle *neige,* il les conçoit comme des flocons délicats et aériens, d'une fragilité presque surnaturelle – une très fine dentelle de mots. Mais en écrivant *neige,* ce qu'Emily a derrière les paupières, c'est la plus puissante des avalanches.

Elle sort en silence quand la maison dort. La rue est calme sous les grands arbres. Elle marche quelques minutes, arrive devant chez lui. Une lampe brille à la fenêtre de sa chambre. Elle entre sans frapper.

Il la déshabille sans hâte, enlève couche après couche, comme on pèle un oignon, cette armure d'étoffes dont s'encombrent les femmes – jupe, jupon, corset, chemisette. Il embrasse lentement ses épaules, ses seins, son ventre. Elle le déshabille à son tour, ils s'enlacent sous les draps, sans souffler la bougie. Leurs odeurs familières se mélangent jusqu'à ne plus former qu'un seul fumet musqué, doux et âcre, un parfum de fourrure humide. Ils se connaissent comme l'eau connaît la terre.

Quand ils ont fini, elle essuie sa cuisse.

Il demande, pour la centième fois :

— Veux-tu m'épouser ?

Pour la centième fois, Lavinia répond :

— Non.

Elle a déjà bien assez à faire.

Emily s'assied à sa chaise devant la fenêtre. Il ne se passe presque rien. Le ciel, les arbres, les Evergreens non loin, le chant des grillons. La nuit tombe. Tout est plongé dans l'encre. La lune apparaît, bossue au milieu du ciel. Son cœur dans sa poitrine se déchire lentement. Il ne se passe presque rien.

Je ne sais toujours pas si j'irai visiter Homestead, dont je cherche à me représenter les murs tendus de papier peint fleuri, les planchers qui craquent, les fenêtres à l'étage donnant sur la rue principale et le jardin de novembre.

Et si, au terme de la visite, plutôt que de suivre sagement le guide, je me tapissais sous un lit ou me glissais derrière une porte – et si je restais jusqu'au soir, attendant que tout le monde soit reparti pour sortir de ma cachette, aller à la fenêtre, dans l'obscurité, et observer les restes du jardin figés par les premiers gels d'automne –, alors j'aurais la nuit pour moi toute seule.

Qu'est-ce qu'elle attend, cette Emily de trente, quarante, cinquante ans? L'amour? Dieu? Un geai bleu? Un lecteur qui enfin lira ses poèmes comme elle rêverait qu'ils soient entendus? Ou simplement la mort, qu'elle repousse chaque jour en écrivant quelques mots de plus, fragiles incantations qui font dans l'obscurité de toutes petites lumières – des lucioles.

Mon affaire, c'est la circonférence, écrit Emily. Et il est vrai qu'elle semble constamment se tenir en équilibre au bord des choses, puits ou abîme, entre un monde et un autre, à la lisière entre le poème et l'indicible, une pomme dans la main, un pied dans la tombe.

Les manuscrits d'Emily Dickinson sont aujourd'hui conservés à la Houghton Library de l'Université Harvard, où l'on peut non pas les voir, mais manipuler des fac-similés, de même que des copies de lettres adressées à divers correspondants. On a aussi aménagé une pièce simplement nommée la Dickinson Room, laquelle contient divers objets (meubles, livres, tapis) ayant appartenu à la famille. Celle-là, qui n'est pas non plus une vraie chambre, on peut la visiter tous les vendredis à quatorze heures.

Quant à l'*herbarium,* il est hors de question de le consulter: trop fragile. Les feuilles d'arbres comme les feuilles de papier risqueraient de tomber en poussière. Encore une fois, ce qu'offre la bibliothèque, ce sont des reconstitutions, des copies.

Lors de nos séjours à Boston, nous ne sommes allés que deux fois visiter les vastes terrains de Harvard où, à l'ombre des vieux arbres, s'élèvent les bâtiments de briques rouges aperçus dans tellement de films qu'on ne peut s'empêcher d'avoir l'impression, en y marchant, de déambuler dans un décor, et que les étudiants qui s'y baladent sont des figurants engagés précisément parce qu'ils avaient l'air d'étudiants. Même le lierre qui s'accroche aux bâtiments, et qui a donné son nom aux prestigieuses institutions de l'Ivy League (Harvard, Yale, Princeton, Dartmouth), semble avoir été installé pour ajouter à la couleur locale.

La première fois, j'avais fini par me réfugier dans la grande librairie du campus, dont les rayons montent du sol jusqu'au plafond. Seuls les livres étaient vrais.

~

J'avais vingt-cinq ans quand on m'a envoyée passer quelques jours à Ottawa afin d'y consulter des manuscrits de Gabrielle Roy conservés aux archives de la Bibliothèque nationale. On m'avait embauchée, en compagnie d'une petite équipe d'étudiants de maîtrise et de doctorat, pour préparer la publication de la suite de *La détresse et l'enchantement,* l'autobiographie inachevée de l'écrivaine, sans doute son livre le plus célèbre, celui, en tout cas, que je préférais.

Vingt ans plus tard, je me souviens encore précisément de ce jour où, pour la première fois, j'ai tenu entre mes doigts (recouverts de gants blancs) les cahiers où elle avait écrit à la main ces quelques dizaines de pages qui allaient devenir *Le temps qui m'a manqué.* Je n'étais jamais allée visiter sa maison de Petite-Rivière-Saint-François, et n'éprouvais pas d'émotion particulière en passant, Grande Allée à Québec, devant le Château Saint-Louis, où elle avait occupé pendant des années un appartement avec son mari. Je n'ai jamais collectionné les artéfacts d'écrivains – qu'il s'agisse de premières éditions, d'exemplaires dédicacés ou d'autres raretés. Je me rappelle pourtant, ce matin-là, avoir été gagnée par une émotion qui m'avait prise de court. Je tenais entre mes doigts quelque chose de fragile comme une aile de papillon, et qui avait pourtant traversé les ans. Ces quelques feuilles étaient la véritable maison de Gabrielle Roy, l'édifice qu'elle avait travaillé à bâtir jusqu'à son dernier souffle, et qu'elle avait laissé inachevé mais debout.

Si je ne vais pas à Amherst, le seul endroit où je puis rencontrer ou retrouver Emily, c'est dans la maison de ses poèmes. Mais nous ne parlons pas la même langue, elle et moi : une poète et une prosaïque.

La poésie est toujours une langue étrangère. Pour qui parle et lit en français, la poésie anglaise est doublement étrange, un pays deux fois inconnu.

D'abord on ne sait rien. Ensuite on sait qu'on ne sait pas – la moitié du chemin.

Puis les mots et les images reviennent en boucle, on les retrouve comme des rêves à demi oubliés dont la signification continue de nous échapper. Ce sont eux qui nous apprennent ce qu'ils veulent dire. Ce sont eux qui se rapprochent du lecteur, prudemment, pour l'apprivoiser. Bientôt on parcourt les poèmes comme une forêt, mystérieuse à jamais, mais dont la pénombre est percée de sentiers et de rayons de lumière. Bientôt on se met à habiter cette forêt, dont on reconnaît les oiseaux et les créatures, les étangs noirs et les grands chênes. Bientôt, bientôt cette forêt se met à pousser en nous.

À cinquante ans passés, Austin fait cette chose inconcevable pour un Dickinson : il prend maîtresse. De vingt-cinq ans sa cadette, Mabel est vive, jolie, brillante – mariée. Elle a un époux astronome qui ne se formalise guère de l'idylle, mais Susan, quant à elle, est dévastée lorsqu'elle lit, dans le journal d'Austin, au lendemain d'une soirée qu'il a passée seul avec la jeune femme : *Rubicon*.

Les lampes ne brillent plus aussi nombreuses aux carreaux des Evergreens. Dès le coucher du soleil, la maison reste plongée dans le noir. L'amour est parti faire de la lumière ailleurs.

Aux premières lueurs de l'aube, Emily est réveillée par les cloches sonnant à la volée. Une clameur monte de la rue, une agitation où se mêlent le piaffement des chevaux, le cri des hommes et ce qui ressemble à de lointaines explosions.

Lavinia entre presque aussitôt dans sa chambre, en chemise de nuit, cheveux dénoués.

— Ne t'inquiète pas. C'est le 4 juillet, tu te souviens?

Emily acquiesce gravement. Puisque la situation est à ce point catastrophique qu'elle exige qu'on lui mente, elle jouera le jeu.

— C'est vrai, dit-elle. J'avais oublié.

Puis:

— Peut-être devrions-nous aller dans la chambre de Mère, pour qu'elle ne s'inquiète pas.

Les deux sœurs vont s'asseoir au bout du lit de l'invalide, qui ne se réveille pas de la matinée, tandis que dehors continuent de retentir les cloches, la cavalcade des chevaux et les hurlements. Une puissante odeur de fumée filtre par les fenêtres closes pendant qu'elles jouent aux cartes. Lavinia tresse les cheveux d'Emily en une couronne. Tour à tour, elles lisent des versets de la Bible en mettant l'autre au défi d'en trouver la référence. Puis, au début de l'après-midi, quand l'agitation se calme, Lavinia descend à la cuisine faire cuire les œufs pour le déjeuner.

— Tu vois, ce n'était que le 4 juillet, répète-t-elle, tandis qu'à l'autre bout du village, quelques centaines de pieds tout au plus, les braises du magasin général et de sept maisons fument encore.

Si le vent avait soufflé dans l'autre direction, songe Emily pendant que l'eau chauffe pour le thé, il ne resterait rien de nous. Le papier brûle si vite.

Il y a plus de deux ans qu'Emily ne s'habille que de blanc, de la couleur de ces curieux poèmes-flocons de neige qu'elle accumule dans ses tiroirs sans trop les montrer, comme si elle craignait qu'ils ne fondent dans d'autres mains que les siennes. Pendant ce temps, Lavinia n'a cessé de foncer. De lilas, ses robes ont viré au prune, puis au marron, et bientôt elle ne se vêtira plus que de noir, portant simultanément les deuils passés et les morts à venir.

Lavinia protège jalousement la solitude de sa grande sœur que, en ville, on a commencé à appeler, avec une admiration qui n'exclut pas la moquerie: la Reine recluse. Ou encore: le Mythe.

À un nouveau visiteur impromptu qui se présente un matin rasé de près, bouquet de violettes à la main, elle annonce qu'Emily ne descendra pas.

— Qu'importe, répond le visiteur, je monterai la voir à l'étage.

Lavinia sursaute. Perchée en haut des marches, Emily sursaute aussi.

— Monter, quelle idée! s'exclame Lavinia. Mais vous êtes le bienvenu si vous voulez prendre le thé au petit salon.

Et elle part avec les violettes vers la cuisine, pour mettre l'eau à bouillir. Emily entend des pas qui se dirigent, hésitants, vers le salon, avant de rebrousser chemin et de s'engager dans l'escalier.

Elle file jusqu'à sa chambre, ferme la porte derrière elle. Le visiteur s'arrête devant le battant et annonce à haute voix :

— Je suis venu parler de votre poésie.

S'il croyait prononcer un sésame qui aurait magiquement fait ouvrir la porte, il en est pour ses frais. Emily répond, toujours enfermée :

— Eh bien, parlez.

Il ne sait plus que dire, tout à coup, et cela lui arrive rarement. En vérité, il aurait bien voulu l'interroger sur ses drôles de poèmes où il entre autant de silences que de mots et qui lui font penser, il ne sait trop pourquoi, à des messages codés, glissés dans des bouteilles jetées au hasard de la mer. Il s'assied par terre. Près du sol, sous le battant, filtre un rai de lumière. Au rez-de-chaussée, Lavinia appelle mais il ne répond pas.

— Pourquoi, demande-t-il au fil de clarté dorée, ne voulez-vous pas les publier ?

Mais ce n'est pas tout à fait cela qu'il aurait voulu demander. Ce qu'il n'arrive pas à comprendre, c'est que cette curieuse femme ait accepté de lui montrer des poésies si elle se refuse si farouchement à les rendre publiques. Pourquoi lui ? En fait, ce n'est pas tant de la poésie d'Emily qu'il souhaite discuter que de lui-même.

De l'autre côté du battant, Emily s'est éloignée. Elle s'est installée près de la fenêtre. Son cœur s'est calmé. Quand il s'emballe de nouveau, c'est à la vue de l'éclair rouge d'un cardinal dans le feuillage de l'érable.

À sa fenêtre Emily suspend une corde de chanvre qui se balance mollement dans le vent.

Ce n'est pas pour servir d'échelle aux écureuils, même si plusieurs se sont essayés à y grimper ; ce n'est pas pour lui permettre de glisser au sol à l'insu de tous au clair de la lune – bien qu'elle en ait souvent rêvé. C'est pour descendre, dans un panier d'osier tapissé d'un mouchoir tout blanc, une armée de petits bonshommes en pain d'épice à ses nièces et à son neveu qui attendent en bas. On ne s'étonne pas de savoir Emily Dickinson pâtissière, pourquoi se surprendre de la découvrir tante ?

Parce qu'on croit que le poète n'a pas de famille, mais c'est faux, bien sûr. La poète est fille, sœur, cousine. C'est le poème qui est orphelin.

~

Des trois enfants d'Austin et Susan, celui que préfère Emily, c'est le plus jeune, Gilbert, le seul garçon. Mèches blondes, yeux ronds comme des planètes, il marche à hauteur de glaïeul en s'émerveillant de ce qu'il découvre : un nid tombé d'un arbre, une chenille à longue soies bleues, l'empreinte laissée par la patte d'un chien dans la terre. De leurs mille yeux verts, les arbres les écoutent discuter, la grande vieille fille tout en blanc penchée par sa fenêtre et le bambin sur son tricycle qui lève la tête vers le ciel.

Avec son neveu, Emily découvre le monde par des yeux neufs. Avec sa tante, Gilbert le voit quasi pour la dernière fois. Ils ne le savent pas encore – mais les arbres… les arbres, eux, s'en doutent.

C'est en vain qu'on cherche dans la vie d'Emily Dickinson une charnière, un point de bascule. Depuis des dizaines d'années, quitte à carrément l'inventer, on s'efforce de mettre au jour un événement marquant, un traumatisme, un amour malheureux (avec un homme ou une femme, qu'importe), une trahison ou une psychose qui expliquerait le singulier isolement dans lequel elle a choisi de passer la seconde moitié de son existence. L'esprit qui aime la symétrie voudrait pouvoir contempler un *avant* et un *après* séparés par un malheur, un drame ou une révélation. On voudrait appréhender le paysage de sa vie à la manière du relief d'une montagne, dont l'apex constitue à la fois le point culminant, le centre et l'axe. Mais on a beau creuser, multiplier les biographies, fouiller les lettres et les témoignages, on ne trouve pas de semblable événement. Il n'y a ni catastrophe, ni bascule, ni point de rupture. La retraite d'Emily est progressive et graduelle. Peut-être simplement, comme la plupart des gens qui, en vieillissant, se raffermissent dans leurs habitudes et deviennent de plus en plus eux-mêmes, cède-t-elle à son penchant naturel, la solitude, et à son corollaire, le silence. En vérité, cela ne me semble pas si difficile à concevoir – à la rigueur, on a plutôt du mal à comprendre pourquoi plus d'écrivains ne font pas le même choix.

Elle n'est pas cachée, elle n'est pas recluse. Elle est au cœur des choses, au plus profond d'elle-même, recueillie, posée en équilibre entre les abeilles du jardin et les deux Ourses, la grande et la petite, qui s'allument dans le ciel à la tombée du jour, tendue comme le style d'un cadran solaire.

C'est une vie parfaite, parfaitement close, enclose en elle-même. Ronde et pleine comme un œuf. Chaque jour est une boucle bouclée, un cercle qui a débuté avec l'apparition du soleil au-dessus de la cime des arbres, dorée en été, cuivrée à l'automne, mercure en hiver, rosée au printemps, et qui s'achève avec sa disparition de l'autre côté du ciel. La nuit noire : un blanc. Le lendemain matin : le même, et jamais tout à fait le même.

C'est dans cette exquise répétition des choses, dans ce temps suspendu, qu'elle arrive, par éclairs, à saisir ce que murmure l'herbe et ce que souffle le vent. Il n'y a pas d'autre moyen de s'arrêter que de tourner exactement au même rythme que la Terre qui tournoie autour du Soleil, et de s'abandonner à ce vertige.

L'automne n'a pas besoin de nous. Il se suffit dans ses ors et ses bronzes somptueux. Il en a tant qu'il jette ses richesses par terre, dans un grand éclat de rire. Il sait, lui, que l'été est bref et que la mort est longue.

Emily entrouvre la fenêtre et en a presque le souffle coupé. Les parfums lui montent à la tête. Le monde a gagné en intensité depuis qu'elle le contemple des hauteurs de sa chambre. Comme si la croisée concentrait les couleurs à la manière de ces premiers appareils photographiques, *cameræ obscuræ*. Pour le voir mieux encore, pour l'absorber tout entier, il faudrait le regarder par le trou de la serrure.

~

Il n'est pas vrai qu'elle n'a que sa chambre. Elle a le chant des étourneaux, l'encre des nuits de novembre, les giboulées du printemps, les voix familières qui montent d'en bas avec l'odeur du pain en train de cuire, le parfum des fleurs de pommier, la chaleur des pierres chauffées par le soleil à la fin du jour, toutes choses qui nous manquent quand on est mort.

~

D'année en année, le rayon de ses révolutions s'est raccourci, comme une corde qui, en tournant, s'enroule imperceptiblement autour de son axe. D'année en année, elle se rapproche du cœur : cette chambre, ce bureau, cet encrier. Le monde finira par tenir sur la pointe de la plume qu'elle serre entre ses doigts.

Dans la main d'Emily, la plume écrit toute seule. Elle raconte l'histoire de l'oiseau, depuis l'œuf au creux du nid jusqu'aux premiers vols incertains, la lumière verte de l'été à hauteur de brin d'herbe, les frimas d'automne, la longue migration dans le Sud, le retour vers le printemps. La plume raconte tout cela à qui sait porter le papier à son oreille comme un coquillage. Emily, qui entrevoit malgré elle le début et la fin de toute chose, ne peut voir un nourrisson sans imaginer le vieillard qu'il deviendra, et pareillement, à la vue d'un vieil homme, elle devine en transparence le bébé qu'il ne se souvient pas d'avoir été.

Un instant, elle écarte du papier la plume qui n'a plus d'encre. Plutôt que de la plonger dans l'encrier, doucement elle pose la pointe d'argent au milieu de sa paume. La plume trace les lignes de sa main : le cœur, la vie, la fortune, l'escargot.

Mère subit une attaque qui la laisse diminuée, amoindrie, comme atténuée. Elle peut encore se déplacer, parler, mais le fait avec hésitation, comme si elle peinait à se rappeler comment. Elle passe le plus clair de ses journées couchée dans son lit. Il lui arrive de confondre ses filles l'une avec l'autre, ou de ne pas les reconnaître du tout. Lavinia et Emily prennent soin de l'infirme jour et nuit, la nourrissent, la toilettent, lui font la lecture.

Chaque matin, Emily entre dans sa chambre avec le plateau du déjeuner – œufs, porridge, pain frais, thé au lait –, elle ouvre les rideaux, annonce le temps qu'il fait, redresse Mère sur ses oreillers, et la nourrit patiemment, avec une petite cuiller d'argent.

Emily, qui disait n'avoir jamais eu de mère – *I always ran Home to Awe when a child, if anything befell me. He was an awful Mother, but I liked him better than none* –, se retrouve tout à coup avec une fille.

Lors de travaux de rénovation à Outremont, il y a quelques années, en arrachant une contre-marche entre la dînette et la salle à manger (ajoutée à la maison quelque quarante ans après la construction originale), nous avons découvert une douzaine de petites cartes à peine jaunies représentant chacune un saint ou une sainte. Un peu plus grandes que des cartes à jouer, colorées en pastel, elles forment une curieuse famille évoquant à la fois le cirque, l'Église et les caravanes tziganes.

Il y a là Notre-Dame du Rosaire de Fatima; Notre-Dame du Cap, paumes ouvertes, pieds nus, auréolée d'étoiles dans sa robe aux motifs dorés, coiffée d'une couronne à bulbes; saint Antoine de Padoue, patron des objets perdus; saint André Apostol; Notre-Dame du mont Carmel; le souverain pontife en prière (il s'agit du pape Pie XII, récitant pour la première fois la prière de l'année sainte 1950); une carte au dos de laquelle apparaît la Mère admirable, sur qui veillent un essaim d'angelots, et au recto de quoi l'on voit Notre-Dame du Perpétuel Secours. Les autres cartes montrent le Christ en croix, l'enfant saint dans sa mangeoire, la Résurrection, Jésus prêchant à des enfants et, sur une carte fine longue comme le doigt, un bambin blond aux bras chargés de fleurs.

Je n'ai pas été très étonnée en voyant cette petite tribu émerger du plâtre. J'avais toujours su que nous n'étions pas seuls ici.

~

Si je tiens le plus souvent à préciser, quand on me pose la question, que j'habite Outremont plutôt que «Montréal» (plus exact au regard des fusions municipales effectuées il y a quelques années, et aussi mieux connu, du moins des étrangers), il me semble qu'en vérité Outremont est encore trop vaste. J'habite une rue, deux parcs et la montagne voisine. Arrivée sur Van Horne, je ne suis plus chez moi, pas plus que sur Hutchison ou Laurier. Mon Outremont à moi est minuscule, uniformément garni de maisons en briques rousses du début du siècle – longtemps j'ai eu l'impression, en y promenant Victor le grand danois, et plus tard Zoé dans sa poussette, que les premiers habitants nous regardaient passer avec un regard un peu perplexe. Mon Outremont est à la jonction exacte de l'an 1917 (année où a été construite ma maison) et de l'an 2017 (où j'ai écrit ces lignes), semblable à l'un de ces miroirs que l'on peut faire pivoter en leur imprimant une très légère pression et qui révèlent un passage secret dans une cloison, un cabinet caché, un autre miroir.

Ce que je quittais en partant pour Boston, ce n'était pas la maison, puisque nous la gardions, c'était ce passé que je n'avais pas vécu mais dans lequel je vivais néanmoins : les quatre-vingts étés, les quatre-vingts hivers de notre érable – et le petit peuple de papier qui vivait à notre insu entre les murs.

L'érable a été abattu, après avoir failli arracher le toit de la maison par un soir de verglas et de grand vent. La souche se couvre tranquillement de petits champignons blancs. Nous la ferons probablement enlever pour planter un arbre tout neuf. Mais c'est encore à l'ombre du fantôme de l'érable que j'écris.

～

Je me rappelle avoir eu une conscience aiguë, enfant, d'habiter aussi une ville enfant.

Nous avions emménagé rue de la Rivière, à Cap-Rouge, peu après ma naissance; quelques années plus tôt, la rue n'existait pas. Nous y occupions une petite maison préfabriquée où personne n'avait jamais vécu avant nous – cela déjà me stupéfiait : cette maison avait été assemblée à l'intérieur (dans une maison plus grande?), comme une construction jouet, faite de cubes en bois. Rien n'existait avant, et cela était vertigineux. Rien ne nous attachait là, nous aurions pu à tout moment nous envoler pour toujours. Et pourtant, à cette époque, je devais savoir que sous la terre, non loin, ma sœur dormait dans son cercueil.

Sa chambre avait été transformée en une pièce que l'on appelait le *boudoir,* où l'on regardait la télé, le plus souvent sans parler. De temps en temps, j'étais parcourue d'une décharge électrique. Elle avait vécu, rêvé ici, et de cela il ne restait pas une trace. Disparue. Silence.

Enfant, je m'efforçais, dans les livres, les maisons, les tableaux et les coquillages, de gratter la surface pour découvrir ce qui sommeillait dessous. Car forcément sous ce monde il existait autre chose, qui échappait à l'œil et qu'il fallait exhumer délicatement, comme on balaie au pinceau très fin les restes fragiles des cités ensevelies.

Il y a déjà longtemps qu'Emily a cessé de sortir du jardin, puis de la maison, pour enfin rester cloîtrée dans sa chambre presque toute la journée. Quand un visiteur se présente, il arrive bien qu'elle le reçoive, mais derrière une cloison. Il s'assied sur une chaise dans une chambre déserte, elle prend place de l'autre côté de la paroi, et chacun parle au mur.

Si les visiteurs sont rares, plus rares encore sont ceux qui reviennent. Personne n'aime aller au confessionnal ; or, cette curieuse intimité avec l'absente en amène plus d'un à formuler tout haut des pensées qu'il ne se sait même pas avoir, et il repart un peu honteux, avec la vague impression d'avoir été trompé sans savoir par qui.

Pour se faire pardonner, Emily leur fait parvenir de menus présents tels qu'en aurait imaginé un enfant : un brin de muguet, un bouton de rose, un trèfle tout blanc, parfois quelques vers – ou un verre de sherry doré.

À cette époque où elle cesse de sortir, elle n'abandonne pas pour autant son jardin ; le jardin entre avec elle dans la chambre, c'est là désormais qu'il fleurit. Les hommes sont bien présomptueux de s'étonner qu'Emily ait plutôt choisi de vivre parmi les fleurs.

On s'émerveille de ces dernières années passées dans la solitude comme d'un exploit surhumain, alors que, je le répète, on devrait s'étonner qu'ils ne soient pas plus nombreux, les écrivains qui s'enferment tranquilles chez eux pour écrire. Ce qui est surhumain, n'est-ce pas le cirque de la vie ordinaire avec son cortège de futilités et d'obligations? Pourquoi s'étonner que quelqu'un qui vit d'abord par les livres choisisse de bon cœur de leur sacrifier le contact avec ses semblables? Il faut avoir une bien haute opinion de soi-même pour vouloir tout le temps être entouré de qui nous ressemble.

Elle aurait voulu, comme à quatorze ans, faire un livre avec des fleurs seulement. Mais elle habite maintenant un jardin blanc. Sur le papier, elle cloue les mots comme des papillons. Sa plume fait un grattement d'oiseau. Ses poèmes sont plus qu'à moitié mésanges. Dans l'autre moitié, il entre les asters, le poitrail de feu des couchers de soleil, la vaste poche de l'éternité, les nuées innombrables de la bible qui rêve près de son lit.

I dwell in Possibility —
A fairer House than Prose —
More numerous of Windows —
Superior — for Doors —

Ont survécu au passage des ans et à celui des parents et éditeurs venus faire le tri dans les affaires d'Emily après sa mort trois longues lettres à un Maître anonyme. S'agit-il du brouillon de trois missives échevelées et comme hors d'haleine qui auraient été envoyées à leur destinataire, ou bien Emily les a-t-elle écrites pour ensuite décider de les garder par-devers elle? Ou les a-t-elle écrites tout en sachant qu'elles n'étaient pas faites pour être envoyées, qu'elles ne s'adressaient pas à un destinataire réel? Comme pour tout le reste, les indices sont si minces et si peu nombreux que chacun peut choisir l'explication qui le satisfait. Pour ma part: le Maître n'existe pas.

Elle aurait voulu l'inventer, n'a pas réussi à le faire, et ne lui a jamais pardonné.

Quand ses tiroirs se mettent à déborder de poèmes épars – cannelle, chocolat, semences, farine et sucre –, Emily entreprend de les rassembler en petits volumes. Pour ce faire, elle commence par les étendre sur son bureau de façon à les voir tous à la fois. La surface de bois est bientôt recouverte. Elle se lève, en dispose quelques-uns sur sa chaise, puis sur le manteau de la cheminée, avant de se résoudre à les poser par terre, côte à côte, sans qu'ils se touchent, comme les morceaux d'un gigantesque casse-tête.

Les poèmes emplissent la chambre. Elle doit se frayer d'étroits chemins entre les bouts de papier et se déplacer sur la pointe des pieds pour n'en froisser aucun, avançant précautionneusement, comme si elle marchait sur un étang gelé menaçant de céder sous son poids.

Quand elle a étalé tous les textes, elle reste là à les observer. Et si un coup de vent – ou une étincelle?

Elle se penche, en prend un au hasard, lui cherche un frère ou un cousin. Celui-ci se trouve à l'autre bout de la pièce. Fort bien, ils sont deux maintenant entre ses doigts. Il est plus malaisé d'en trouver un troisième qui non seulement viendrait s'amarrer au second mais entretiendrait aussi avec le premier une sorte de conversation en aparté. La difficulté, manifestement, augmente avec le nombre, et lorsque, au bout de deux heures, Emily a rassemblé une liasse d'une quinzaine de poèmes, elle a la tête qui tourne comme si elle avait bu trop de porto. Elle empile soigneusement les poèmes restants, qu'elle remet au lendemain.

Mais la tâche s'est encore compliquée pendant la nuit, parce qu'il lui manque désormais les textes les plus diserts et les plus accorts, ceux qui acceptent volontiers de se lier avec les autres, tels des invités joviaux qui mettent tout le monde à l'aise dans une soirée. Plus elle avance et plus les textes restants sont rébarbatifs, piquants comme des châtaignes et résistants à tout contact avec leurs semblables. Bientôt elle n'est plus entourée que de poèmes qui lui ressemblent – une petite foule de solitaires.

Une semaine passe avant qu'elle doive se rendre à l'évidence : il lui faut défaire les assemblages péniblement conçus et recommencer de rien, ce qu'elle fait. Et de nouveau quelques semaines, puis quelques mois plus tard. Il faut près d'un an avant qu'elle arrive à trouver à chacun une famille et une maison.

∼

Elle rassemble les poèmes en fascicules de quelques dizaines de pages. Puis elle emprunte la boîte à couture de Lavinia, enfile une aiguille, coiffe son doigt du dé d'argent et, avec mille soins, coud, un point à la fois, ces petits livres à exemplaire unique.

Mais le mot *fascicule,* toujours celui que l'on emploie pour décrire ces minces recueils manuscrits assemblés dans le secret de sa chambre, désigne d'abord, en pharmacie, la «quantité de plantes qu'on peut embrasser avec un bras ployé contre les hanches; on l'évalue à douze poignées».

Avant que d'être un livre, le fascicule est une brassée de plantes qui soignent.

À un correspondant qui lui demande un jour comment elle se sait en présence de la poésie, elle répond:

Quand je lis un livre qui me glace le corps à un point tel que nul feu ne saura jamais me réchauffer, je reconnais la poésie. Puis: *Si j'ai l'impression qu'on m'arrache le crâne, je reconnais la poésie. Ce sont les deux seuls moyens que je connais. Y en a-t-il d'autres?*

Là où, cent cinquante ans plus tard, Leonard Cohen parlera de cendres, Emily évoque la glace. Dans un cas comme dans l'autre, le poème est l'envers du feu.

∼

La mort habite tous les poèmes, et non seulement la mort mais le Mourir, l'Instant suprême, suspendu, lui aussi, telles les rimes de ses poèmes – comme ces flocons de neige dans la tempête qui semblent remonter vers le ciel à mi-course, regrettant déjà les nuages; comme le temps qui s'arrête aux couchers de soleil de juin; comme le pendu qui se balance, livide, au bout de sa corde.

Coup sur coup, en un an à peine, Père s'en fut dormir au cimetière et Mère alla le rejoindre. Lavinia et Emily sont seules désormais dans la grande maison, la première avec ses chats, la seconde avec son chien. Elles ont une servante, Margaret – qui n'a pas d'animal familier.

Le père mort, Emily n'alla jamais se recueillir sur sa tombe. On peut pleurer ses disparus n'importe où – mais Emily ne pleure pas. Une amie, un jour, se rend au cimetière et cueille dans l'herbe près de la stèle un trèfle à quatre feuilles, qu'elle offre à Emily. Celle-ci accepte gravement le présent, reste longtemps après le départ de la visiteuse à contempler la petite croix verte. Puis elle met le trèfle à sécher entre les pages des œuvres complètes de Shakespeare qui en contenait déjà une dizaine – son petit cimetière personnel.

On raconte qu'à cette époque de sa vie, à l'aube de la cinquantaine, elle connaît un grand amour, peut-être le seul de son existence. Il est vrai que le juge Otis Phillips Lord, ancien ami de son père, de quelque quinze ans son aîné, lui fait une cour assidue, à laquelle elle répond par des lettres pleines d'émoi. A-t-il réellement été question de mariage entre eux ? Emily a-t-elle vraiment songé à quitter Amherst pour aller s'établir à Salem, pays de ses cousines les sorcières ? Ou bien cherche-t-elle une dernière fois à s'inventer une vie de papier ? De leur idylle il ne reste presque rien aujourd'hui – les lettres de l'une comme de l'autre ont été détruites, ne subsistent que des brouillons épars, les récits transmis de bouche à oreille au fil des générations dans les deux familles. Le fiancé meurt avant que le mariage puisse être non seulement célébré et consommé, mais même annoncé. Emily ne sera jamais veuve.

Elle est arrivée à cet âge où l'on connaît plus de morts que de vivants. Sophia, Père, Mère, Gilbert aux boucles si blondes se reposent sous l'herbe verte. La terre a beau se dépeupler, les cieux ne semblent pas moins vides.

Pourtant, à n'en pas douter, assis à une longue table céleste, Père et Mère, la mine sévère comme d'habitude, attendent leurs enfants – encore en retard.

Depuis quelques jours, dès qu'elle pose la tête sur l'oreiller, elle entend des cloches. Après avoir passé sa vie à douter de Dieu, elle a une cathédrale dans la tête.

Elle a depuis toujours l'impression d'être suivie. Petite, elle s'asseyait sur le banc du piano, laissait pendre ses jambes, jouait quelques notes pour l'attirer, puis se retournait très vite. L'Autre ne se montrait pas. En se promenant au jardin, elle s'arrêtait un instant près d'un arbre, se collait au tronc, fixait le chemin par lequel elle était arrivée. L'Autre ne se montrait toujours pas.

Elle marche derrière Emily dans la rue à l'ombre des maisons; elle la suit jusqu'à la cave où elle est descendue chercher des pommes de terre. Elle s'assied à ses côtés dans l'eau tiède de la baignoire, elle se couche avec elle entre les draps de coton, toutes deux lisent à la même page du même livre. D'une certaine façon, c'est bien: Emily n'est jamais seule.

Elles sont ensemble debout face à la fenêtre. Il n'y a pas de lune, mais les étoiles sont si brillantes qu'elle a l'impression de les observer à travers une loupe. Les astres forment dans le ciel des dessins familiers – c'est une carte géographique avec ses fleuves et ses rivières, ses villes et ses déserts. Quelque part là-haut, tout au bout d'un chemin semé de cailloux blancs, brille Linden.

Ensemble elles s'envolent, Emily et sa mort. C'est le mois de mai.

Sur le certificat de décès d'Emily Dickinson, près du mot *occupation,* une main d'une absolue exactitude a tracé : *At home.*

Linden

Linden est une cité verte et blonde – miel et trèfle.

Dans une maisonnette aux rideaux ouverts habitent Sophia et Gilbert, quinze et huit ans pour toujours. Ils déjeunent de biscuits au pain d'épice et de lait chaud.

Les chiens s'y promènent librement dans les rues, tous les chiens aimés et disparus. La mer est toute proche, on l'entend mais on ne la voit jamais.

À Linden, Emily sort de sa chambre, descend l'escalier, passe le seuil de sa maison de papier et sort dans la rue, au soleil de midi, vêtue d'une robe écarlate.

NOTE DE L'AUTEURE

J'ai emprunté l'idée de comparer (quoique à des moments différents) les populations d'Amherst et de Chicago à Roger Lundin, dont le *Emily Dickinson and the Art of Belief* m'a aussi fourni la matière de certains épisodes de la vie de la poète. D'autres moments sont tirés de *The Life of Emily Dickinson*, de Richard B. Sewall, ou d'épisodes narrés par Emily Dickinson elle-même dans sa correspondance ; d'autres encore sont le fruit de mon imagination. Tant mieux si l'on n'arrive pas trop à distinguer lesquels.

~

Merci à Nadine Bismuth, ma première lectrice, et à François Ricard pour ses lumières et ses commentaires précieux sur le manuscrit. Merci à Antoine Tanguay pour sa confiance et sa complicité au cours des dix dernières années. Merci à Rafaële Germain de m'avoir mise sur la piste des parlements de hiboux et des kaléidoscopes de papillons.

Composition : Hugues Skene
Conception graphique : Antoine Tanguay
et Hugues Skene (KX3 Communication)
Révision linguistique : Julie Robert
Correction d'épreuves : Sophie Marcotte

Éditions Alto
280, rue Saint-Joseph Est, bureau 1
Québec (Québec) G1K 3A9
editionsalto.com

ACHEVÉ D'IMPRIMER
CHEZ MARQUIS IMPRIMEUR
EN OCTOBRE 2022
POUR LE COMPTE DES ÉDITIONS ALTO

L'impression de *Les villes de papier* sur papier
Rolland Enviro Opaque Offset plutôt que sur
du papier vierge a permis de sauver l'équivalent de 19 arbres,
d'économiser 6 m³ d'eau et d'empêcher le rejet de 1257 kilos
de CO_2 et de 7 kilos d'émissions atmosphériques.

100%

PERMANENT

Dépôt légal, 3ᵉ trimestre 2020
Bibliothèque et Archives nationales du Québec
Bibliothèque et Archives Canada